367
28

MARÍA DEL PILAR PALOMO

La novela cortesana

FORMA Y ESTRUCTURA

EDITORIAL PLANETA   **BARCELONA**

planeta/universidad de málaga

DEPARTAMENTO DE LENGUA ESPAÑOLA

Dirección: DOMINGO SÁNCHEZ MESA
y ANTONIO PRIETO

© María del Pilar Palomo, 1976
Editorial Planeta, S. A., Calvet, 51-53, Barcelona (España)
Cubierta: Hans Romberg (montaje, Gutiérrez Chacón)
Primera edición: mayo de 1976
Depósito legal: 20088-1976
ISBN 84-320-3204-2
Printed in Spain/Impreso en España
Talleres Gráficos «Duplex, S. A.», Ciudad de la Asunción, 26-D, Barcelona-

SUMARIO

I. DE FORMA Y ESTRUCTURA

I, 1. Escribir de *forma, estructura* y *novela* es afrontar, posiblemente, uno de los puntos más debatidos de la actual crítica literaria en sus manifestaciones teóricas. No es mi propósito aportar consideraciones nuevas a una problemática que ya empieza el declive de su superación. Pero creo, sin embargo, necesario un planteamiento preliminar que otorgue coherencia a los análisis narrativos subsiguientes, y en donde la utilización de los términos no comporte un valor polisémico que, incluso, entrañe contradicción.

Entonces, cabe afirmar, de principio, que entiendo la *forma* narrativa como el resultado de la elección de un *sistema* ya preestablecido que el autor elige, consciente y voluntariamente, para comunicarse y comunicar su mensaje. Pero que éste, al contenerse en ese sistema, es a determinante del dinamismo de la *forma* frente al estatismo del primero. Y que, por tanto, para la comprensión de esa *forma* necesitaremos una valoración metalingüística que apele a una exterioridad del texto mismo, ya que, en cercanía al cuarto estrato de Roman Ingarden, «la forma apela, desde su significación, a algo que, estando en ella [la obra], nos remite *fuera de ella*».[1]

El novelista, el escritor, busca *su* forma, es decir, aquella que logre comunicar *su* mensaje. Y es muy posible que sucesivas formas —de ahí su dinamismo— vayan apareciendo como portadoras de esa comunicación, que se *disuelve* —recordemos a Wittgenstein— en esas formas que la contienen. Por ello, conscientemente, escribe Unamuno:

1. Antonio Prieto, *Morfología de la novela*, Barcelona, Ensayos/Plata, 1975, p. 63. En la parte I del estudio analiza el autor la obra narrada desde una perspectiva semiológica, y, aun separándome metodológicamente en algún punto, en estas páginas introductorias a la novela cortesana —en el concepto de *forma*, por ejemplo— remito, sin embargo, a la generalidad de sus conclusiones y a la amplia bibliografía al respecto allí reseñada.

Sí, tus obras mismas, a pesar de su aparente vari
dad... no son, si bien te fijas, más que un solo
mismo pensamiento fundamental que va desarrollá
dose en múltiples formas. Y así, buscando el tran
mitir ese tu pensamiento central, lo vas ciñendo cad
vez más y encontrando nuevas formas de expresió
hasta que acaso des un día con la más adecuada, co
la precisa.[2]

La búsqueda consciente de esa forma llevará consig
la *aprehensión* de la misma —que puede ser originari
mente, repito, un sistema ajeno, ya dado—, lo que con
portará que ese sistema se transforme dinámicamen
en esa forma *precisa* —y no otra—, que deviene del co
tacto del sistema —estático, en su detención sincrónic
y abstracción teórica o genérica— con el mensaje qu
se pretende comunicar.[3]

Ese dinamismo deriva, por tanto, a mi entender, d
dos consideraciones, o, mejor, dos determinaciones, e
su doble vinculación a los dos polos extremos de tod
acto de comunicación, como son emisor y receptor. Po
el primero, la forma se ofrece como cambiante, ya qu
el emisor, al *disolverse* en ella —pero no *resolverse*—
modificará sistemas preestablecidos, e incluso, dentro d
la obra, esa forma, al convertirse en proceso narrativ
puede ser modificada por la *estructura*, incluso con i
voluntariedad del emisor. Pero por la consideración d
segundo, los sistemas estáticos se desgastan en su uti
zación repetitiva, lo que origina el rechazo por parte d
receptor, ya que la decodificación del mensaje, al dev
nir un acto de automatismo, traiciona la esencia mism
de la *literaturidad* que defendió y buscó el formalism
ruso.

Recordemos la teoría de Sklovski de que una form

2. *Soliloquio*, publicado en 1907. Cito por la edición de García Bla
co, *Obras completas*, XII, Madrid, A. Aguado, 1958, p. 68.
3. Ese dinamismo de la *forma* es lo que confiere, siguiendo con
ejemplo unamuniano, a la evolución homogénea del pensamiento y se
timiento del autor la multiplicidad de sus cauces comunicativos, com
analizo en *El proceso comunicativo de «La Esfinge»*, en *Semiología d
teatro*, A.A. VV., Barcelona, Ensayos/Planeta, 1975, y en *Símbolo y mi
en el teatro de Unamuno*, en *El teatro y su crítica*, A.A. V.V., Málag
1975.

nueva no aparece para un contenido nuevo, sino para reemplazar una ya desgastada. «Así —escribe María del Carmen Bobes—, en la historia de la narrativa occidental, se explica el paso del relato medieval, dispuesto como un retablo, a base de relaciones cortas enmarcadas en un marco común (*Libro del conde Lucanor, Los cuentos de Canterbury*, el *Decameron*), a la novela de un solo héroe construida con el procedimiento de *l'enfilage*, basada en un viaje (*Don Quijote*, el *Lazarillo*).» Ahora bien, cuando (en el análisis informativo de las teorías formalistas) afirma la autora, a continuación, que «no cambia sólo la forma, sino también el argumento y el discurso»,[4] hay que añadir aquí que ello no es sólo por la *inmanencia* de la obra, sino porque esa forma nueva está determinada tanto por el desgaste automático de la anterior como por la consideración de una búsqueda consciente y voluntaria —emisor— y por el rechazo colectivo del receptor.

Porque, de acuerdo con la primera consideración, pueden coexistir —sin rechazo— formas narrativas derivadas de idéntico sistema. El *Lazarillo* es, evidentemente, una forma nueva con respecto al *cuento de cuentos* medieval. Pero ello no implica el desgaste del sistema, sino la constatación de la búsqueda consciente de una nueva forma, resultante del choque o unión del sistema dado —el «retablo» medieval— con un nuevo mensaje, que *no puede comunicarse* a través de ese sistema. Y la aparición de ese mensaje nuevo que determina la nueva forma está, desde luego, más allá de la obra misma, si bien su *enunciado* se contenga en ella.

Narrativamente, esa *forma* ha de ser la que contenga el *universo representado* que constituye la novela. Un universo que asume o es el resultado del enfrentamiento, reflejo o fusión de dos realidades: la objetiva del mundo o referente y la subjetiva del autor. Es decir, un mundo representado y la representación en sí de ese mundo, que asumirá, a nivel estructural, una perspectiva, un

---

4. *Crítica semiológica*, Universidad de Santiago de Compostela, 1974, página 15.

punto de vista, y que se dispondrá u organizará del modo como la estructura de esa organización determine.[5]

El análisis totalitario de ese universo, ya constituido en enunciado, constituye, en sí, el análisis de la estructura. Cuya comprensión o *fabricación*[6] por parte del receptor (no del emisor) sólo podrá darse cuando el proceso dinámico de su formación (redacción o lectura) ya está cerrado y, por tanto, se ha transformado de dinámico en estático al pasar de su condición de proceso a su condición de resultado del mismo, significativo en sí, aunque remita, mediante su *forma*, a otras obras y a otros enunciados.

Así pues, la estructura, totalitaria y autorreguladora, viene determinada por el proceso de funcionamiento de los elementos que la integran, en su mutua dependencia, y dentro, siempre, del enunciado de la obra. Aquí sí cabe hablar, entonces, de inmanencia de la obra, de sus leyes internas de funcionamiento. Hasta el punto de que el sujeto narrativo —proyección del emisor y del mensaje y portador de la forma, generalmente— puede verse dinámicamente alterado por esa inmanencia de la estructura. Es ese *construirse* la novela, casi con involuntariedad del autor, que, reveladoramente, han manifestado tantos novelistas[7] y que movió a Unamuno al supremo *distan-*

---

5. Sobre la *organización* del *universo representado* es enormemente clarificador el estudio de Tzvetan Todorov, *Literatura y significación*, Barcelona, Ensayos/Planeta, 1971.

6. Sería la posición extrema de W. S. Allen, que señala Martinet: «Uno strutturalista non è uno che scopre delle strutture, ma uno che le fabbrica». Cit. a través de A. Prieto, *Morfología de la novela*, ob. cit., p. 74.

7. Recordemos, por ejemplo, las palabras de dos «teóricos» de la novela, François Mauriac y Eduardo Mallea. Escribe el primero: «Muchas veces me ha ocurrido, al componer un relato, que tal o cual personaje de primer plano, en el que yo pensaba desde mucho tiempo atrás y cuya evolución había yo pensado hasta en los menores detalles, se conformara en un todo al programa sólo porque estaba muerto: obedecía, pero como un cadáver. Por el contrario, cierto personaje secundario, al que yo no daba la menor importancia, se abría paso por sí mismo hasta la primera fila, ocupaba un sitio al que yo no lo había llevado y me arrastraba en una dirección imprevista» (*El novelista y sus personajes*, Buenos Aires, Emecé, 1955, p. 33). Mauriac aduce el ejemplo del personaje «episódico» del doctor Courrege, que acaba por «invadir» la novela *El desierto del amor*. Al igual que Mallea,

ciamiento del personaje, en su teoría de los *entes de ficción* como realidad *ajena* a su creador.

Ahora bien, si ese construirse en una estructura determinada —la de esa obra narrativa y no otra— obedece al proceso de su mismo funcionamiento interno, hay que admitir —y de hecho así se hace— que hay tantas estructuras como obras, ya que los elementos que las integran pueden ser los mismos, pero nunca podrá ser idéntico su funcionamiento, al igual que la compleja estructura humana —de elementos constitutivos análogos— nunca determina, una vez efectuado el proceso de su desarrollo, dos personas idénticas.

Sin embargo, sabemos de la existencia real —no sólo teórica— de *tipos* humanos susceptibles de clasificación genérica. Y, del mismo modo, en esas estructuras distintas de cada obra literaria también podremos establecer moldes genéricos homologables, derivados de los puntos de semejanza comunes, cuando éstos cumplan, por supuesto, una función relevante también común. El conjunto, por abstracción de todos esos elementos funcionales comunes, es lo que nos permitirá la subclasificación narrativa tradicional o la fijación teórica del *sistema* preestablecido. Que se modificará, al unirse al mensaje y determinar la *forma* del enunciado, en tantas variantes como estructuras desarrolle el proceso de enunciación.

Porque, en virtud de aquella abstracción de elementos comunes de distintas estructuras novelescas, puede hablarse de unos sistemas narrativos que revelan un enunciado o mundo representado homologable. Y hablar, por tanto, de novela sentimental, de caballerías, pastoril, regional, histórica, cortesana, costumbrista, policíaca... Y en cuanto al modo de enunciación, puede, igualmente, aludirse a novela idealista, realista, naturalista, objeti-

---

que afirma la independencia de Mario Guillén, uno de los personajes de *Los enemigos del alma*: «Pero a la mitad del libro el personaje se resiste, quiere hablar de él, no se aviene con la total reserva, pugna por saltar al mundo sin trabas con su yo enarbolado. Entonces doy crédito a su necesidad y le abro hacia fuera las puertas de sí mismo» (*Notas de un novelista*, Buenos Aires, Emecé, 1954, p. 86).

va, psicológica, alegórica, simbólica, rosa y hasta foto-
novela. Pero ocurre que, cuando el modo o sistema llega
a su definitiva codificación, el enunciado —homologable
entonces con una temática determinada— es vinculable
a ese determinado modo de enunciación. Así, la novela
naturalista —un enfoque, vinculado por tanto al emisor—
comporta una temática derivada de un concreto referente. O la novela pastoril —una temática— obliga a una
disposición determinada del universo representado. Donde la ruptura del sistema por elementos perturbadores
que lo distorsionan —no por las inherentes variaciones
estructurales del proceso de cada obra —ha de suceder
paralelamente a la transformación del mensaje. Es decir,
cuando el mundo representado de la novela pastoril ya
no responda a una *forma* determinada —sistema narrativo codificado + aspiración renacentista de un neoplato-
nismo existencial— puede señalarse la desaparición del
género. De la cual serán *síntomas* reveladores la inclusión, en determinadas estructuras —o ejemplos novelís-
ticos—, de elementos perturbadores del sistema, como
la ironía o visión desmitificadora de lo pastoril que, en
ocasiones, surge en *La Cintia de Aranjuez* de Gabriel del
Corral,[8] aparecida en 1629, ya en total contaminación con
la coetánea novela cortesana.

Ahora bien, entiendo que como elementos básicos que
desarrollará toda estructura narrativa, y cuya utilización,
por tanto, puede agruparse en sistemas codificados, hemos de considerar dos fundamentalmente: la ya aludida

---

8. Relata un personaje: «Buelvo la cabeza y veo un rozín, pared por
medio de caballo, que traía colgados estos adereços: quise cogerle, mas
al llegar me assentó, no sé cómo se llaman las cozes en pastoril cultura; dos destas en fin como para mí» (cit. por la ed. de J. de Entrambasaguas, Madrid, C.S.I.C., 1945, p. 38). La ironía sobre la *pastoril cultura* y su distanciamiento de la realidad responde a la misma visión
desmitificadora de época que en Francia connota peyorativamente la
voz *bergeries*, hacia 1620. Recuérdese que en 1627 aparece *Le berger
extravagant* o *Anti-roman* de Sorel, en donde el ideal estético y vital
de lo pastoril queda reducido a una parodia de tosca filiación cervantina y encarnado en un pobre tonto o iluso desprovisto de todo aliento
poético. Y recordemos, también, que en *Lisardo enamorado* de Castillo
Solórzano, en la misma fecha de 1629, aparecerá un personaje que se
cree inmerso en *La Arcadia* de Lope, pero que se trata de un caso real
y verdadero de locura, susceptible de «curación».

posición u organización del universo representado
con independencia del referente al que representa— y
perspectiva o visión desde la cual el narrador *trans-*
te al receptor ese universo.

Respecto al primero, parece indudable su consustancia-
idad con el género narrativo, ya que ese mismo hecho
narrar es lo que no puede desligarse de ningún siste-
a establecido:

> Meme si, par convention, nous ignorons, pour l'ins-
> tant, les innombrables variétés de thémes et meme de
> structures générales qui gonflent le genre et nous
> admettons une sorte de comun dénominateur...,

cribe *Séance du Matin,* que especifica, a continuación,
ál es ese común denominador:

> récit d'événements plus o moins enchaînés, ou inter-
> viennent des individus pourvus d'un minimun de psy-
> chologie personnelle...[9]

Porque lo evidente es que la novela, en su forma más
imigenia, *relata* unos hechos. Sin embargo, el cómo se
stribuyen esos hechos a través del tiempo y del espa-
o narrativos puede llegar a configurar sistemas tan
limitados que, incluso, determinan críticamente dife-
ncias genéricas. Como la distinción, por ejemplo, de
béres entre *romancier* y *conteur,*[10] al definir al primero
mo aquel «qui évoque un monde complexe et touttu»,
e juega «sur plusieurs intrigues», y al segundo como
que «narre briévement une histoire unique et simpli-

. *L'expressivité du dialogue dans le roman* (en *La litterature narra-
e d'imagination,* París, Presses Universitaires de France, 1961, p. 3;
trata del conjunto de ponencias del congreso sobre novela celebrado
Estrasburgo del 23 al 25 de abril de 1959). Ese común denominador
, por otra parte, tradicionalmente admitido: «Sí, claro, sí, la novela
rra un relato. Ese es el aspecto fundamental sin el cual no podría
istir», escribe E. M. Forster en *Aspectos de la novela,* su ya clásico
tudio de 1927 (cito por la edición de la Universidad Veracruzana,
éxico, 1961, p. 42). Y remacha la idea a continuación: «... es el factor
mún más alto a todos los complejísimos organismos llamados no-
las» (p. 44).
10. *Métamorphoses du roman,* París, A. Michel, 1966, p. 27.

fiée», lo que da lugar no a la simple distinción entre no
lista y cuentista, sino a la determinación de dos estru
turas novelescas, que denomina, respectivamente, *poli
nica* y *unilinear*.

I, 2. Sin embargo, en ambas posibilidades, como
todo relato, el conjunto de hechos narrados es suscep
ble de una división en *secuencias* o *unidades narrativ
completas*, entendiendo por tales «la serie coherente
acabada de acontecimientos».[11] Pues bien, en cuanto
modo en que se relacionan entre sí esas unidades, y p
lo que afecta muy particularmente a la novela cortes
na, distingo tres sistemas en la disposición del mater
narrativo: yuxtapositivo, coordinativo y propiamente s
tagmático.

Pensemos en la antigua distinción de Forster ent
relato y *trama*. Relato es una «narración de aconte
mientos dispuestos en su orden temporal», mientras q
una trama la constituyen esos acontecimientos presi
dos por un principio de causalidad. Así, dentro de l
proposiciones de un hecho narrado, especifica: «"El r
murió y luego murió la reina", es un relato. "El rey m
rió y luego murió la reina de pesar", es una trama.»
Pero si elevamos esa distinción al modo de conexión
las unidades narrativas completas o secuencias, dent
del sistema total de la narración, podemos establec
unos grados de menor a mayor encadenamiento, q
irían desde la independencia entre sí, a nivel de cont
nido y estructuras independientes —yuxtaposición—, a
conexión por razones de tiempo y espacio —coordin
ción—, hasta llegar a la relación sintagmática, en dond
como los elementos constitutivos de todo sintagm
la conexión se transforma en una red de interrelacion
presididas por una ley de causalidad, aunque ésta pue
adoptar la fórmula del *azar*, la *profecía*, etc., en may

---

11. T. Todorov, ob. cit., p. 17, quien distingue en el plano sinta
mático del relato las *proposiciones* (acontecimientos aislados) de l
secuencias, y analiza, en el plano sintáctico, los modos de relación ent
ellas: relaciones *lógicas*, *espaciales* y *temporales*.

12. Ob. cit., p. 114.

nenor acercamiento a ese principio aglutinador y de-
minante.

El primero de los sistemas requerirá, naturalmente, un
xo de unión, que, si bien no afecta a la estructura
rticular de cada unidad narrativa, pueda agruparlas
el sistema. Dicho nexo actuará, por tanto, *dentro del
tema*, pero *fuera de la estructura de cada unidad*, a
erencia del sistema coordinativo, en donde dicho nexo
sitúa *dentro de dichas estructuras*.

Recordemos la defensa cervantina de sus tres modos
sistemas de novelización. En el capítulo III de la Se-
nda parte del *Quijote*, el Bachiller ha señalado las crí-
as que suscitó la inclusión en la Parte primera de la
ovela intitulada *El curioso impertinente*; no por mala
por mal razonada, sino por no ser de aquel lugar, ni
ne que ver con la historia...». A esta crítica responde
autor en el capítulo XLIV, en un conocido párrafo de
ría novelesca:

Dicen que en el propio original desta historia se lee
que llegando Cide Hamete a escribir este capítulo, no
le tradujo su intérprete como él le había escrito, que
fue un modo de queja que tuvo el moro de sí mismo,
por haber tomado entre manos una historia tan seca
y tan limitada como esta de don Quijote, por parecerle
que siempre había de hablar dél y de Sancho, sin
osar estenderse a otras digresiones y episodios más
graves y entretenidos; y decía que el ir siempre atenido
el entendimiento, la mano y la pluma a escribir de
un solo sujeto y hablar por las bocas de pocas personas era un trabajo incomportable, cuyo fruto no re-
dundaba en el de su autor, y que por huir deste
inconveniente había usado en la primera parte del
artificio de algunas novelas como fueron la del *Curioso impertinente* y la del *Capitán cautivo*, que están
como separadas de la historia, puesto que las demás
que allí se cuentan son casos sucedidos al mismo don
Quijote, que no podían dejar de escribirse... Y así,
en esta segunda parte no quiso ingerir novelas sueltas
ni pegadizas, sino algunos episodios que lo pareciesen,
nacidos de los mesmos sucesos que la verdad ofrece,
y aun éstos, limitadamente y con solas las palabras
que bastan a declararlos...

En el texto cervantino (fuera de su implicación en
contexto de preceptiva coetánea [13]) entiendo que se ofre
una triple consideración en el *modo* de engarce de l
historias o secuencias independientes y de los episodi
constituidos en unidad o sistema generalizador. De u
parte, unas novelas «sueltas» o «pegadizas», unidas
conjunto *yuxtapositivamente,* e insertas en un sistema
tal que les sirve de nexo, pero cuyo contenido, a nivel
estructura general, puede ser intercambiable. Es dec
si en los capítulos XXXIII, XXXIV y XXXV del *Quijo*
el Cura, en vez de la novela *El curioso impertinente,* l
una cualquiera de las *Ejemplares,*[14] realmente la estru
tura de la Primera parte del *Quijote* no sufre alteracio
a nivel formal, no semántico.

Sin embargo, hay una distinción entre *El curioso* y
historia del Cautivo, aunque Cervantes identifique el pr
cedimiento en el párrafo transcrito. Desde luego, la p
mera está, verdaderamente, «separada de la historia
pero no así la segunda, que entra en la segunda moda
dad, como una más de las que «allí se cuentan» con
«casos sucedidos al mismo don Quijote, que no podí
dejar de escribirse». Entendámonos: «casos» en los q
don Quijote y Sancho —nexo de integración— interv
nen como *actantes* o testigos presenciales, dentro d
universo representado, en la marcha o resolución de un
historias (la del Cautivo, en su final; de Cardenio y Lu
cinda, Fernando y Dorotea y doña Clara y don Luis) qu
coordinadas entre sí, se unen a la principal por motiv
ciones de tiempo y de espacio, en doble posibilida
O simultaneidad en un punto de la trama y concurre

13. El presente texto cervantino es someramente analizado por E
ward C. Riley (*Teoría de la novela en Cervantes,* Madrid, Taurus, 19
p. 200) al estudiar la *variedad* y la *unidad* de la composición, en
contexto de la preceptiva renacentista.
14. Recordemos que el propio autor indica (I, 47) que en la mis•
maleta que contenía *El curioso* se hallaban otros papeles y «que
principio del escrito decía: *Novela de Rinconete y Cortadillo,* por don
entendió ser alguna novela, y coligió que, pues la del *Curioso imper*
nente había sido buena, que también lo sería aquélla, pues podría s
fuesen todas de un mesmo autor». Y que, si bien *Rinconete y Cortad*
no se publicó hasta 1613, con las *Ejemplares,* existe de ella una versi
anterior en el llamado manuscrito de Porras.

ía en un espacio único en ese tiempo simultáneo (la
venta cervantina de los capítulos XXXII-XLVII, durante
os días [15]), o las secuencias se ensartan por coordinación
rogresiva a lo largo de un espacio y un tiempo que de-
iene común, hasta la definitiva concentración resoluti-
a, que alcanza la doble simultaneidad y concurrencia
ludidas: un cigarral toledano en Tirso de Molina, *resolviendo* sincrónicamente las historias de don Juan, Mar-
o Antonio y don Dalmao (cfr. IV, 2), o el monasterio
le Monserrat, culminación de las acciones coordinadas
lel *Lisardo enamorado* de Castillo Solórzano (cfr. IV, 1).
En ambos casos, no lo olvidemos, el procedimiento su-
oone una clarísima filiación de técnica narrativa pas-
oril.[16]

Pero volvamos al transcrito texto cervantino. Al comienzo de él su autor ataca la aridez y monotonía de
una historia única («seca y limitada»), donde no pueda
osar estenderse a otras digresiones y episodios más gra-
es y entretenidos». Pero la sequedad de una acción úni-
a —sin la riqueza de la *variedad* que el *natural* propo-
ne [17]— se verá acompasada, en la Segunda parte del *Qui-
ote*, por «episodios... nacidos de los mesmos sucesos».
Parece aludirse, a siglos de distancia, a la llamada estruc-
ura *episódica*.[18] Pero no estimo, sin embargo, que en ella
esos episodios puedan considerarse *nacidos de los mes-
nos sucesos*. Cada episodio —o *tratado*— del *Lazarillo*

---

15. «Dos días eran ya pasados los que había que toda aquella ilustre
compañía estaba en la venta; y pareciéndoles que ya era tiempo de
partirse ..» (I, 46).

16. Cfr. *Morfología de la novela*, ob. cit., pp. 343-376, y en particular
l análisis de la estructura de *La Diana*.

17. Cfr. el aludido trabajo de Edward C. Riley.

18. Es usual el término de *episódico* para designar esquemas narra-
ivos formados por la adición de distintas y separadas unidades narra-
ivas. Ahora bien, estas unidades se suelen presentar como las secuen-
ias, en progresión tempo-espacial, de una trama continua, enlazada
emáticamente. (Sería el clásico esquema de la picaresca. Hasta el pun-
o de que la denominación de *episódica* se enlaza a la de *estructura
picaresca*, como en la definición de Robert Stanton, *Introducción a la
narrativa*, Buenos Aires, 1969, en que, sin aludir a la *picaresca* española
lel XVI, ejemplifica su afirmación sobre el *Quijote*, *Las aventuras de
Huck* de Twain, *Joseph Andrews* de Fielding, *En el camino* de Ke-
rouac, etc.). También de *episódicos* califica Baquero Goyanes (*Estruc-
uras de la novela actual*, Barcelona, 1972²) los sistemas narrativos for-

es una secuencia cerrada en sí misma, en donde la coor
dinación alcanza su valor más integrador: la sustitución
de la historia ajena (en donde el nexo unitivo es un
actante-testigo) por el episodio o historia propia, en
donde el nexo de unión se eleva, semánticamente, a ac
tante básico o protagonista: la línea medular de cada
secuencia —el *yo* repetido del protagonista— es también
la línea medular del sistema en el que aquéllas se inte
gran. Es una forma de coordinación característica de la
picaresca y de ciertas otras formas narrativas de los Si
glos de Oro —*Libro de las Fundaciones*, por ejemplo—
pero no peculiar de la cortesana.

Sin embargo, cuando esos episodios aparecen como *na
cidos* de los mismos sucesos, ya no podemos hablar de
simples relaciones espaciotemporales, ya que ha entrado
en juego un principio de causalidad o de jerarquización
de secuencias y episodios característico de la estructura
sintagmática. La linealidad o el paralelismo, más o me
nos convergente, ha devenido un sistema ramificado, en
donde es o puede ser perceptible un núcleo generador. La
estructura *interna* de las secuencias o los episodios es
ahora, elemento funcional de la estructura total de la
obra.

Retrocediendo, pues, a lo que he denominado estruc
tura yuxtapositiva, no podemos, en consecuencia, consi
derar como nexo de unión un motivo que permanezca
fuera del universo representado de la obra, como puede
ser el meramente editorial, agrupando unidades indepen
dientes destinadas a una publicación conjunta. Pero sí
considerar unitivamente a ese sistema de narraciones,
independientes en sí mismas, pero con un marco de unión
que *justifica* su integración en el sistema (y dentro del
cual se agrupan una buena parte de las novelas cortesa
nas), si bien cada unidad, como relato aislado, se acoja
a otro sistema de enunciado. Pero considerando siempre
que, dentro de la estructura total de la obra (el marco

_____

mados por adición de episodios. Y lo enlaza con la novelística medie
val de origen hindú; es decir, con colecciones de unidades narrativas
independientes, completas en sí mismas, y no enlazadas ni por tiempo
ni por espacio.

arrativo + las unidades integradas en él por yuxtaposi-
ión), funcionan como un elemento de la misma.

La consideración de aquellas unidades como partes
desintegradas del sistema, es decir, como no funcionales
dentro de la estructura del conjunto —consideración re-
chazada por cualquier orientación crítica actual—, fue lo
que motivó la usual aplicación del nombre de *miscelánea* [19] a ese especial modo de narrativa barroca, de muy
antigua tradición literaria. El nombre deriva —junto con
el de *colecciones*— de lo heterogéneo de sus partes, no
todas novelescas, si se las analiza aisladamente. Y es indudable, también, que esa sensación de evidente hetero-
geneidad se vio siempre reforzada por una consideración
historicista: esas partes habían surgido en épocas y circunstancias diversas, y sólo en virtud de una agrupación
ajena a su contexto habían sido impresas por su autor
como parte de un conjunto. Así, el hecho de que unas
comedias, entremeses o autos, ya difundidos, por lo general, a través de los normales cauces de la representación teatral, se incluyesen, aparentemente a la manera
de *incisos*, en una estructura novelesca distorsionaba lo
narrativo y perturbaba el sistema, hasta conferir a ese
conjunto de elementos no armonizados (sólo unidos, en
apariencia, por razones editoriales) el carácter de miscelánea. Y, sin embargo, hay ocasiones en que la hetero-
geneidad genérica de las partes y su distinta cronología
de redacción no son sino *datos* que nos informan acerca
de su origen, pero en donde toda disparidad ha sido subordinada al integrarse en un sistema en el que los
elementos que lo componen se interrelacionan hasta constituirse en estructura. Una estructura yuxtapositiva en
donde cada unidad (cuento, novela, relato, anécdota o
comedia, entremés, auto, farsa, certamen poético...) se
subordina a una unidad superior que las agrupa (sin alcanzar a veces ni la coordinación), pero sin llegar a anu-
lar su valor independiente. De una parte, esas unidades
funcionan en un contexto como elementos significativos

19. Cfr., por ejemplo, Jean-Louis Flecniakoska, *Comedias, autos sa-
cramentales et entremeses dans les miscellanées*, en *Dramaturgie et so-
ciété*, Études réunies et presentées par Jean Jacquot, I, París, 1968,
pp. 117-123.

de él, y del cual derivará su intención comunicativa.[20] De otra, seguirán constituyendo un texto cerrado y significativo en sí mismo, aunque para ello debamos extraerla de ese contexto e, incluso, situarlas en otro, no ya necesariamente, literario, donde la cronología de una representación o las circunstancias reales de un certamen hacen cobrar a la comedia o al poema un significado distinto (o análogo) al alcanzado por esa misma comedia o poema al funcionar dentro de un sistema comunicativo distinto y casi siempre posterior: el sistema narrativo impreso.

De principio, pues, el análisis crítico de una de esas denominadas *misceláneas* se bifurca en dos consideraciones. Primero, el estudio de la estructura de la misma, en donde cada unidad habrá de considerarse únicamente como elemento de un sistema narrativo, sumamente peculiar, que fue soporte formal de la novela cortesana del XVII español. Y en donde la llamada estructura *episódica* se presenta como no evolucionada hacia sistemas narrativos más complejos: lo yuxtapositivo no ha generado la coordinación, ni mucho menos lo sintagmático. En segundo lugar, el análisis de cada uno de los elementos integrantes, como suficientes en sí mismos y, en lo narrativo, en oposición formal al sistema que los integraba: novelas aisladas, de claro sistema sintagmático, que funcionaban, sin embargo, como núcleos de yuxtaposición al integrarse en el conjunto. Ahora bien, en el plano formal, el paso de la narración aislada a su integración en un sistema general precisa, repito, de un nexo unitivo, ajeno a su temática específica, pero no a su intencionalidad. El carácter de ese nexo aglutinador, expreso en el contexto, configura los distintos sistemas yuxtapositivos. Porque del hecho necesario de su presencia textual deriva su doble funcionamiento: como elemento narrativo en sí,

20. Es sumamente interesante, a este respecto, el análisis de Juan Bautista Avalle-Arce de *El peregrino en su patria* de Lope, en el que Vossler vio únicamente un «recipiente literario pasadero» para contener poemas y autos. Frente a este juicio peyorativo, Avalle-Arce destaca cómo «la inclusión de obras dramáticas cumple... una clara función estructurante», fuera de su total y consciente fusión con el propósito contrarreformista que condiciona la *forma* de la novela (cfr. *Introducción* a *El peregrino en su patria*, Madrid, Castalia, 1973).

lacionado con las demás unidades, que se subsumen
n él (función *a*), o' como simple resorte generativo, y, en
nsecuencia, unitivo, de todas las demás unidades (fun-
ón *b*). Y en cuanto a su disposición narrativa, puede
nfigurarse de dos maneras, derivadas de su doble fun-
onamiento. De una parte, como elemento narrativo en
 mismo, desarrollará un relato completo de aconteci-
ientos, que *enmarca* y *condiciona* a la totalidad de las
nidades (funciones *a* y *b*). O puede limitarse a asumir
nicamente la función *b*, y adoptar fórmulas no narra-
vas, carentes por tanto de trama y de acción espacio-
mporal expresa. Veamos con más detalle estas posibi-
dades.

Pensemos, en primer lugar, en la existencia de unas
nidades narrativas sin nexo de unión. Es obvio que
 análisis estructural sólo podrá efectuarse en sus de-
rrollos aislados, y únicamente un posterior análisis
mparativo de aquéllos nos daría, significativamente, el
mún denominador —si lo hay— que los configure ge-
éricamente. Sin embargo, a nivel de *forma* no es menos
bvio que un autor ha elegido conscientemente ese sis-
ma para comunicar un contenido, y entonces, *fuera*
 aquél, cobra relevante importancia la *consciencia* de
a elección, manifestada por el autor, en ocasiones, en
rólogos, *preliminares* o *advertimientos*. No es, por tanto,
significativo, sino profundamente revelador el título,
or ejemplo, de una colección, como el apelativo de *ejem-*
ares con que designa Cervantes a sus doce narracio-
s.[21] Pero, repito, el nexo, en este caso, escapa de la es-
uctura, aunque se explique a través de la forma.

La segunda posibilidad nos enfrenta con la existencia
 un marco (narrativo o no) que agrupa y sirve de

---

1. Las narraciones cervantinas, fuera de la motivación que se mar-
en el *Prólogo al lector* («el honesto fruto que se podría sacar, así
todas juntas, como de cada una de por sí»), ofrecen el ejemplo
gular de que dos de ellas se relacionan entre sí. De tal manera que
 casamiento engañoso y *El coloquio de los perros* son generadas
r el marco narrativo de la conversación entre Campuzano y Peralta.
ro la primera se *coordina* a ese diálogo y la segunda se *yuxtapone*
él. Sin embargo, fueron consideradas como narraciones independien-
, ya que el número de doce novelas era el usual y tópico de colec-
nes posteriores, como señalará Tirso en los *Cigarrales*.

nexo unitivo a las unidades. Las variaciones estruct
rales son, entonces, numerosas y se codificaron en dive
sos sistemas.

De una parte, el marco no narrativo, encuadrador
unidades, que tradicionalmente adoptó la fórmula d
diálogo didáctico, de lejana ascendencia y que config
ró un sistema de comunicación y de narración de ap
rente simplicidad, pero de enorme riqueza form
(cfr. II). O que, soportando la carga didáctica tradici
nal —aunque no, frecuentemente, su connotación mor
lizante—, aparece en el diálogo «social» de raigamb
renacentista y erasmista, como los de Eslava, Lucas H
dalgo, Suárez de Figueroa, etc., donde los interlocutor
se mueven en un marco espaciotemporal evadido d
contexto y sólo presente indirectamente en él a trav
del diálogo mismo.

En un segundo gran apartado consideremos unas ur
dades integradas en el sistema a través de aquel aludic
marco narrativo, pero con numerosas variaciones estru
turales:

a) La historia ejemplificadora, que es soporte form
de ejemplos, pero que, a la vez, afianza en ellos su c
municación didáctica. Como la historia de *Calila e Digr*
—independizada del diálogo didáctico que la genera
con respecto a los *exenplos* o unidades independiente

b) El marco narrativo convencional —tertulia o vi
je—, de puro «divertimento», que encuadra unas unid
des en mayor o menor dependencia de ese marco (cf
III, 4), que va de la simple analogía ambiental a la a
milación de ambos, en cuanto a su significación últim
hasta la configuración de las unidades en subordinació
a la forma, como analizo en *Deleitar aprovechando*
Tirso de Molina (cfr. V, 2).

Ahora bien, un tercer sistema sería la integración
unas unidades —que aisladamente adoptasen la forma
la novela cortesana— en una trama sintagmática *no co
tesana*. Es decir, donde el marco no fuese nexo de unió
sino que funcionase con independencia de esas narrac
nes interpoladas. La relación subordinativa altera, nat
ralmente, su perspectiva, ya que esa narración, dentro d
contexto total, sólo es admisible como elemento function

el mismo. Quizá pueda producirse su lectura aislada y
er captado su sentido total. Pero la estructura dentro
e la cual funciona no podrá, por el contrario, ser enten-
ida sin la inclusión del relato, o, por el contrario, si se
ratase de una interpolación *ajena* a esa estructura, su-
ondría un elemento distorsionador de la misma. En este
egundo caso recordemos el ejemplo del relato de *Abin-
arráez y la hermosa Jarifa*, intercalado en el Libro IV
e *La Diana*, desde la edición de Valladolid de 1561. Su
iclusión forzada rompe el eje pendular —no narrativo—
e ese Libro central, hasta el que *ascienden* las cuatro
ecuencias de la trama de la obra, para, a partir de ese
entro, ir progresivamente solucionándose, hasta la tri-
le boda del Libro VII. Pero en la *descripción* de am-
iente cortesano que supone el estatismo del Libro IV,
 editor o refundidor —que no captó la armónica es-
uctura de la obra original— incluyó un elemento ca-
cterístico de la *narración* cortesana: el relato de una
storia ajena a la trama general.

Por el contrario, consideremos las unidades narrativas
dependientes del *Guzmán de Alfarache*. Son relatos,
mo es usual en los cortesanos —y ya veremos en III, 2
 función social—, puestos en boca de uno de los per-
najes, que se dirige a otros personajes, fórmula nove-
sca reiterada por Alemán y Cervantes.

En el caso del primero, la sucesión temporal narrativa
 ve continuamente detenida por *digresiones*, que apoyan
 forma novelesca en la que el autor contiene su tre-
endo mensaje barroco. Esas digresiones, no narrativas
 y por tanto no sujetas a un tiempo de narración—, se
tercalan a manera de *exenplos* demostrativos, como
s cuentos del *Calila* apoyan el mensaje didáctico emi-
do. Y pueden estar en boca de uno de los *actantes* de la
rración, con lo que su emisión se situará en el tiempo
 los hechos narrados en el marco, o enunciados por el
opio narrador en el momento del acto de la narra-
ón.[22] Naturalmente, en el primer caso, el tiempo na-

_____

2. Subsiste lógicamente la diferencia en el tratamiento cuando ese
ante es el propio narrador, es decir, Guzmán, ya que no podemos
idar el *distanciamiento* característico de toda narración retrospectiva

rrativo transcurre paralelamente a la emisión de aquell
digresión no narrativa, como si de un cuento relatad
se tratase. Así, mientras un clérigo pronuncia su ser
món en el camino (cap. LV, Libro I, Primera parte), lo
viajeros se supone que continúan su viaje, de tal maner
que al finalizar esa digresión puede exclamar el narrado
general, retrospectivamente: «Su buena conversación
dotrina nos entretuvo hasta Cantillana, donde llegamo
casi al sol poniente.» De análoga manera a como tran
curre el tiempo mientras, en otro viaje, otro clérigo r
lata la historia de *Ozmín y Daraja* y, al retomar el na
rrador el hilo de la trama, especifica: «Con gran siler
cio veníamos escuchando aquesta historia cuando lleg
mos a vista de Cazalla...»[23]

Las digresiones adoptan, por tanto, con gran frecuer
cia, la forma narrativa y son emitidas por un personaj
como en los ejemplos reseñados. Usualmente funciona
también como la digresión citada, en subordinación a **l
forma** de la obra y en apoyatura demostrativa del ser
tido de la misma, o bien son elementos funcionales de **l
estructura**, utilizadas como resortes de causalidad de **l
trama**.[24]

En esta línea, dentro de la narración general de la n
vela se intercalan tres unidades narrativas, cerradas e
sí mismas y relatadas por tres actantes diferentes, fre
te a los que Guzmán actúa de receptor y futuro transm
sor. Dos de ellas se acogen, aparentemente, a la fórmul
del viaje —*Ozmín y Daraja* e historia de Saavedra—, e
decir, son relatos de aparente «divertimento» de cam
nantes, mientras que la tercera —*Dórido y Clorinia*— s
relata enmarcada en el contexto cortesano de la sobr
mesa y la tertulia. Y en las tres se marca, siguiendo
orden de aparición, una gradación de menor a may

---

en primera persona, entre el *yo* del personaje o actante y el *yo* d
narrador, situados en tiempos diferentes.

23. *Guzmán de Alfarache*, ed. de Francisco Rico, Barcelona, Clásic
Planeta, 1967, pp. 169 y 243.

24. Por ejemplo, el relato del arriero, en estilo indirecto, del ca
tulo IV (1.ª, I), que *completa* la aventura de Guzmán en la venta
capítulo anterior, *motiva* la ira de Guzmanillo al oírlo, que, a su v
justifica el comienzo del sermón subsiguiente.

ión con el marco narrativo al que se subordinan.
zmín y Daraja (último capítulo del Libro I) se cierra
sí misma, ya que se trata de una narración retrospec-
, de un tiempo pasado. La segunda, de *Dórido y Clo-*
ia (capítulo último del Libro III), se cierra *momentá-*
mente, ya que, de acción coetánea a la trama, ignoran
personajes, en su tiempo —y con ellos el narrador
eral, desde el suyo—, el final definitivo de la misma.
a tercera, picaresca dentro de la picaresca, en la Parte
unda, Libro II, al estar en boca de uno de los actan-
pero que *refiere su propia historia*, no puede cerrarse
sí misma, dentro de la obligada estructura abierta
todo relato picaresco, pero sí puede cerrarla el na-
dor en capítulo posterior, cuando esa unidad narrativa
finalizada pasa estructuralmente a funcionar como
nento *actuante* del marco que la generó.

esde esa disposición de las tres narraciones —y la
unda es netamente cortesana en su sentido y estruc-
a específicos— en el espacio narrativo, hasta el *sentido*
las mismas en el significado totalizador del *Guzmán*,
desaparición, sustitución o alteración espacial en la
ela quebrantaría la forma de la obra.[25] Porque es pro-
damente revelador que se sitúe una optimista narra-
a morisca, de feliz integración final de sus protago-
:as en unas estructuras sociales que les eran ajenas,
el momento en que el desarraigado Guzmanillo aún
ee la libertad no determinista de elección de vida, que
ala Guzmán (= narrador) en el capítulo I del Libro II,
relatar su encuentro con el fraile franciscano; que la
mática narración de *Dórido y Clorinia*, de trágico fi-
, se inserte en la etapa de pícaro vocacional de Guz-
n, y que la degradación de la historia de Saavedra se
mpase con el triunfo de la picaresca que representa
enriquecido personaje, aunque, como es sabido, ese
tido dentro de la obra remita a otro significado más
. del contexto.[26] Ahora bien, en este tercer relato, al

. Cfr. el trabajo de Guido Mancini, *Consideraciones sobre «Ozmín
:raja», narración interpolada,* «Prohemio», II, 3, 1971, pp. 417-438.
Como es sabido, la narración se utilizó, además, como fórmula
taque hacia Mateo Luján de Ayavedra, autor de la falsa segunda
: del *Guzmán,* aparecida en 1602.

asumir el narrador de la historia la función de actar
dentro de ambas estructuras (la de la historia relata
y la de la historia general que la contiene), llegamos
ese sistema más complejo de relaciones entre las
cuencias que he denominado coordinativo.

Si las unidades cerradas pueden, metodológicamen
aislarse de la estructura que las contiene, difícilmer
podríamos hacerlo con los *episodios* —también cerrac
en sí, en cuanto a la narración de un hecho— de un s
tema coordinativo. Por ejemplo, la novela *El curioso i
pertinente* (que lee el Cura en los capítulos XXXI
XXXV de la Primera parte del *Quijote*) puede, indu
blemente, desgajarse de su marco, y podría haber si
publicada como una de las *Ejemplares* (siendo sustitu
en la obra por otra de sentido y estructura análoga, coi
ya he señalado). Pero difícilmente podríamos separar
su contexto la unidad o episodio que narra el de la cue
de Montesinos o la ínsula Barataria, fusionados a la t
ma en relación significativa del personaje.

Son, desde luego, episodios que se suceden en el tie
po y el espacio, pero además vienen *determinados* —*ne
dos*, escribió Cervantes— de una ley interna que Tir
denominó de «causas concertadas» (cfr. V). Y a ella
subordina el novelista, como sustitución de un princi
de *verosimilitud* al que es ajeno. Por ello dirá Lope
Marcia Leonarda:

> Pienso, y no debo engañarme, que vuestra mer
> me tendrá por desalentado escritor de novelas, v
> do que tanto tiempo he pintado a Diana sin de:
> brirse a Celio después de tantos trabajos y desdicl
> pero suplico a vuestra merced me diga, si Diana
> declara y amor ciego se atreviera a los brazos, ¿c
> llegara este gobernador a Sevilla? [27]

Y tampoco olvidemos que para que este «gobernad
—la disfrazada Diana, a quien no reconoce ni su pro
amante— llegue, efectivamente, a Sevilla y termine
novela, ha tenido que responder al comienzo de ell

---

27. *Novelas a Marcia Leonarda: Las Fortunas de Diana*, edición, y
logo y notas de Francisco Rico, Madrid, Alianza Editorial, 1968, p.

palabras de Celio: «No estáis engañado.» Porque
pe se acuerda del comienzo de *La Celestina* y aduce
ue si Melibea no respondiera entonces "¿En qué, Ca-
:o?", que ni había libro de *Celestina* ni los amores
los dos pasaran adelante. Así, ahora, en estas dos
abras de Celio y nuestra turbada Diana se funden
tos accidentes, tantos amores y peligros, que quisie-
ser un Heliodoro para contarlos...»[28] Lo cual no im-
e, naturalmente, que, en la coherencia lógica y cau-
de la trama que ese núcleo generativo provoca, la
erosimilitud argumental tenga tal cabida que el pro-
Lope se ríe de sus mismos procedimientos. Que son,
 otra parte, los utilizados, convencionalmente, por la
eralidad de los novelistas cortesanos.

. Ob. cit., p. 31. Rico comenta este pasaje (p. 180) aduciendo que
 proceder que por entonces se esperaba de una mujer a quien se
ían palabras de amor era sencillamente el silencio».

II. EL COMIENZO DE UN SISTEMA O DE CÓMO CALILA DIO EXENPLO DEL ARTE DE NARRAR

II, 1. En el apartado I, 2 he aludido a las dos posibi-
dades de funcionamiento del marco integrador de uni-
ades, en su formulación narrativa o no narrativa. Cu-
osamente, ambas se cumplen en el más primitivo ejem-
lo castellano del sistema, como modelo acabado de es-
ructura yuxtapositiva. Porque con la traducción del *Ca-*
la e Digna penetraba en España algo más que una te-
ática tan prolijamente rastreada por la crítica. El aná-
sis del sistema (o los sistemas) de engarce de los *exen-*
los de la conocida colección medieval es algo más com-
lejo que la conocida denominación de «novela a cajo-
es»[1] con que se la definió.

Una simple valoración cuantitativa de los capítulos del
ibro de Calila e Digna, en su versión castellana[2] (lo mis-
lo que en la árabe), nos ofrece el dato objetivo de la
reponderancia alcanzada en la colección por el relato
e las intrigas de los dos lobos protagonistas de los ca-
ítulos III y IV, especialmente de Digna. Tal preponde-
ncia alcanza, como es notorio, a la titulación de la obra.

hasta tal punto que el interés de la narración en sí
arece romper por un momento la igualdad de relacio-
es entre las unidades narrativas y su nexo de unión ge-
ral, es decir, la dependencia, en estricta función didác-
ca, de cada unidad con el diálogo que las enmarca.
orque cuando se alude al «artificio de encuadrar nume-
osos cuentos en una trama principal, bien conocido en
bras de ficción orientales»,[3] más parece corresponder la

1. Así la denominó Edwin B. Place en su conocido y breve estudio
vulgador, *Manual elemental de novelística española. Bosquejo histó-*
co *de la novela corta y el cuento durante el Siglo de Oro*, Madrid,
ctoriano Suárez, 1926, p. 97.
2. Sigo la edición crítica de John E. Keller y Robert White Linker
ladrid, Clásicos Hispánicos, C.S.I.C., 1967), citando siempre, salvo ad-
rtencia, por el manuscrito A. Utilizo asimismo los títulos adjudicados
los cuentos en la citada edición, y en algún punto baso mis deduc-
ones de análisis crítico sobre los datos de su interesante *Distribu-*
ón *de partes, capítulos y cuentos en Panchatantra, Kalilahwa Dimnah*
Calila e Digna (pp. XXV-XXXIII).
3. *Calila e Digna*, ed. cit., p. XXIII.

definición al *segundo* de los nexos de unión de la obra:
la trama sintagmática de las unidades narrativas primeras, marco de las segundas (los cuentos), y ambas en
dependencia primaria y secundaria del diálogo de Abendubet, el rey y su filósofo, y los tres como elementos
doctrinales del *nitishastra*.

Los tres elementos (diálogo → novela → cuento o *exenplo*) debén relacionarse de manera idéntica. Así, el cuento cumple una función explicativa o aleccionadora que
se subordina a la narración novelesca a la cual apoya.
Entendiendo dicha subordinación dentro de un nivel de
contenido. Porque, en plano formal, la narración (*apoyada* por el *exenplo* en su función comunicativa) es soporte
generativo de los cuentos. Y, de análoga manera, la narración se subordina al diálogo, en idéntica función explicativa y aleccionadora, mientras aquél es, a nivel formal, el núcleo determinante de ésta.

Veamos en la página siguiente un esquema de los ca
pítulos III y IV, en donde se desarrolla la historia de
Calila y Digna.

La interdependencia de las unidades narrativas adop
ta, a la vista del esquema, una clara progresión su
bordinativa: el diálogo genera la narración y ésta lo
cuentos. Con lo cual queda patente en el sistema la
existencia de los dos tipos de nexos unitivos a que aludía
en el apartado anterior: el no narrativo (diálogo) que
cumple únicamente la función *b*, y el narrativo que
asume ambas funciones. Y que, en virtud de la fun
ción *a*, *rompe* la igualdad de relaciones de dependencia
entre diálogo y narración. Porque todos los capítulos
de la obra (desde el III en que comienza realmente) se
relacionan con el diálogo de idéntica forma: una petición
doctrinal que el filósofo aclara y contesta mediante la
narración ejemplificadora:

> Dixo el rrey Abendubet [a] su filosofo: «Dame exe
> plo de los dos que se aman, e los departe el mentyrose
> falso, mestutero, que deve ser aborreçido en los çielo
> e en la tierra, e en los ynfyernos, e en los ayres,
> los trae a tal estado a perder sus cuerpos e sus an
> mas.» Dixo el philosopho: «Señor, quando acaeçe
> los dos omes que se aman, que el falso e mesturer

buey e de la pesquysa de Digna e de Calila.

→ a_3; La zorra y el tambor.

→ a_4: El religioso robado.
  - → $a_{4.1}$: La zorra aplastada por cabrones monteses.
  - → $a_{4.2}$: La alcahueta y el amante.
  - → $a_{4.3}$: El carpintero (zapatero), el barbero y sus mujeres.

→ a_5: El cuervo que dio muerte a la culebra. → $a_{5.1}$: La garza, las truchas y el cangrejo.

→ a_6: La liebre, el león y el pozo.

→ a_7: Las tres truchas.

→ a_8: El piojo y la pulga.

→ a_9: El hombre engañado por el reflejo de la luna.

→ a_{10}: El camello que se ofreció al león.

→ a_{11}: El chorlito (tytuya) que peleó con el mar. → $a_{11.1}$: La garza, el cangrejo y la culebra.

→ a_{12}: Los dos ánades y el galápago.

→ a_{12}: Los monos, la luciérnaga y el ave.

→ a_{13}: El hombre falso y el torpe. → $a_{13.1}$: La garza, el cangrejo y la culebra.

→ a_{14}: Los ratones que comían hierba.

→ b: Capitulo quarto. De la pesquysa de Dina. E es capitulo del que quiere pro de sy e daño de otro e a que torna su fazienda.
  - → b_1: La mujer que se dio a su siervo sin saberlo.
  - → b_2: El médico ignorante que envenenó a la princesa.
  - → b_3: El labrador y sus dos mujeres desnudas.
  - → b_4: Los papagayos acusadores.

> anda entre ellos, van atras, e departese e corronpe
> el amistança que es entre ellos; e esto semeja lo q...
> acaeçio al leon e al buey.» Dixo el rrey: «¿Commo f...
> eso?» Dixo el filosofo...[4]

De idéntica manera se relacionan con el diálogo las re...
tantes narraciones: proposición doctrinal dialogada...
narración ejemplificadora, en boca del filósofo. En tod...
el interés, por sí, de la trama es secundario, subordinad...
a la ejemplificación, tal como se repite, sin alteracione...
en los restantes capítulos: V, VI, VII, VIII, IX, X, X...
XII, XIII, XIV, XV, XVI, XVII y XVIII.

Sin embargo, en el capítulo IV se rompe esa unida...
Ya no es una narración ejemplificadora lo que deman...
el rey, sino *la continuación* de la anterior unidad narr...
tiva, terminada en el capítulo anterior en cuanto a...
ejemplificación propuesta, pero no en cuanto a la tra...
total de la misma.

> Dixo el rrey al filosofo: «Ya he entendido lo que
> dexiste del mesturero e mezclador, e commo me...
> amistad e aborrencia con su lengua entre aquel...
> que mucho se amavan. E agora dime que fue la es...
> saçion de Dina quando el leon lo mando prender...
> lo matar.»[5]

La ruptura del sistema de enlace, marcando un pre...
minio de la función *a* de la narración en detrimento de...
función *b* (nexo generativo de cuentos), produce, de u...
parte, la escasa representación cuantitativa de los *ex...
plos* (sólo cuatro), que, aun teniendo en cuenta la men...
extensión del capítulo IV respecto al III, sigue sien...
comparativamente escasa. Y, de otra, la necesidad...
autor árabe[6] de señalar el fin didáctico de la histori...
posteriori de la demanda, en la usual conclusión did...
tica del final del capítulo y en la titulación del mism...

Así pues, en las versiones posteriores al *Panchatant...*

4. Ed. cit., p. 42.
5. Ed. cit., p. 129.
6. Efectivamente, dicho capítulo (IV del texto castellano y VI
árabe), con el final desastroso y aleccionador de Digna, no figura e...
texto hindú del *Panchatantra*.

l marco narrativo del capítulo IV cede en su función
nitiva o generativa, al tiempo que se disgrega el sistema
idáctico de engarce al marco general dialogado. Cuando
se marco narrativo subordine, también a nivel de con-
enido, las unidades narrativas independientes insertas
n él por yuxtaposición, llegaremos a la compleja estruc-
ura de los *Cigarrales* tirsistas, en donde los personajes
el marco son asimismo los personajes de una parte de
sas unidades. Pero también esa posibilidad se apunta en
Calila, si analizamos los cuatro modos de relación de
s *exenplos* con la novela que los genera.

II, 2. Si consideramos el *exenplo* a_1 aisladamente, no
ifiere en absoluto de los restantes. Aunque, de hecho,
ay un primer dato de contraste: está puesto en boca
el filósofo, no de los personajes de *a* o *b*. Por tanto, el
ceptor inmediato es Abendubet, no mediato como en
resto, donde existe un interlocutor, expreso dentro del
ismo *a* o *b*. La comunicación se establece en el plano
herente a toda novela dialogada:

utor] → narrador [filósofo] → receptor [Abendubet] →
[lector]

Por el contrario, en los *exenplos* posteriores la trans-
isión, el enlace comunicativo convencional, se complica:

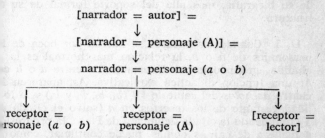

Y ese distinto punto de vista marca las diferentes fun-
ones. En el caso de a_1, el *exenplo* se une a *a* no en
nción didáctica expresa (si bien la conclusión no ex-
esa sería la de que nadie puede escapar a su destino).

En realidad figura en el texto en función anticipador
de la acción, de tal modo que la conclusión didáctica n
expresa, el receptor podría elevarla al final, tras la muer
de Sençeba, a explicación causal de los acontecimiento
como velado núcleo generativo de los mismos. Pero nur
ca será la *apoyatura* de un juicio o la *ejemplificació*
de un consejo. Su unión con la trama se efectúa desd
dentro de la misma, al igual que la historia primera, *E*
mercader que aconsejó a sus hijos (también en boca de
filósofo), es la *causa* determinante, a nivel argumenta
de la presencia de Sençeba en el prado, origen *caus*
de todos los episodios posteriores. Subordinada arg
mentalmente a la trama de *a*, no forma, a mi juicio, un
dad narrativa independiente, y como tal, cumplida s
función puramente formal, desaparece sin cerrarse tem
ticamente.

En ambos casos (la narración inconclusa y el text
cerrado de a_1) la historia o el *exenplo* forman parte de
trama, y su exclusión quebrantaría el sistema lógico (r
lación causa-efecto) de la misma. Pero es que no est
mos en presencia de una estructura episódica, sino fue
temente sintagmática, en la que las demás unidades n
rrativas van a insertarse a manera de incisos de yuxt
posición. Si bien estos incisos la apoyan a nivel de co
tenido. Como apoyaban el desarrollo vital de Guzmán
Alfarache las tres novelas intercaladas en la narració
de su biografía, más allá del soporte formal de su e
tructura.

II, 3. Cuando los cuentos se narran por boca de l
personajes de *a* o *b*, la relación más normal es la
aludida, en analogía con la establecida entre *a* o *b* c
A: una función didáctica explicativa. Así aparecen l
cuatro *exenplos* del capítulo IV (b_1, b_2, b_3 y b_4) y la to
lidad restante de los insertos en *a* (salvo el citado *a*
Y cumpliendo la citada definición de Place, la progresió
a manera de cajitas chinas, puede continuar, como
los casos de $a_5 \rightarrow a_{5.1}$, $a_{11} \rightarrow a_{11.1}$ o $a_{13} \rightarrow a_{13.1}$, en donde
inserta un nuevo narrador y, por consiguiente, un nue
receptor:

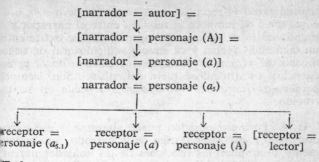

$$[\text{narrador} = \text{autor}] =$$
$$\downarrow$$
$$[\text{narrador} = \text{personaje (A)}] =$$
$$\downarrow$$
$$[\text{narrador} = \text{personaje } (a)]$$
$$\downarrow$$
$$\text{narrador} = \text{personaje } (a_5)$$

| receptor = personaje $(a_{5.1})$ | receptor = personaje (a) | receptor = personaje (A) | [receptor = lector] |

Toda comunicación con un receptor expreso, es decir, esente dentro de la trama (en el esquema anterior, dos, naturalmente, salvo el lector), puede generar la spuesta, que, de hecho, se produce casi siempre en el *alila* para notificar la comprensión del relato. Es la isma respuesta tácita que expresará el autor de nove s cortesanas del XVII al manifestar, en tercera persona ucho más usual) o en forma dialogada, la complacen a del auditorio ante la narración escuchada. Pero no es ecuente la interrupción por parte del receptor. No apa ce en el *Calila* y es infrecuente en el XVII. Hay ejem os, desde luego (así la narración de su vida que Mar s de Obregón hace al Ermitaño es interrumpida dos ces por éste[7]), pero lo usual es la interrupción volun ria del narrador, dividiendo la historia para acompasar tiempo transcurrido durante el discurso al tiempo fí co de la narración general, como es normativo en los *garrales de Toledo* de Tirso.

Pero en el *Calila* la relación narrador = personaje → ceptor = personaje que alcanzará el sistema posterior ente (será nota característica de *Los triunfos de la ver d*, en *Deleitar aprovechando*), y que un diálogo dentro l discurso, interrumpiéndolo, marcaría con enorme erza expresiva, queda limitada a esa final respuesta que

. En el *Descanso quince* de la *Relación primera* y en el *Once* de la *gunda*, y en ambas ocasiones para poder Espinel *justificar* con vero ilitud una digresión en el relato. Recordemos también la interrup n de don Quijote del relato de Cardenio, que motiva la suspensión del ato (I, cap. XXV), no reanudado hasta el capítulo XXVII.

repiten tanto el receptor de A como los de *a* y *b*, o de
a_5, a_{11} o a_{13}. Ni tampoco la relación entre el narrador y el
mundo de lo narrado suele pasar de la que existe entre
un contenido verbal y su simple vehículo oral de transmisión. Si *juzgan* ese contenido o extraen de él consecuencias, es situándose fuera del mismo. Son, siempre
personajes *fuera del universo representado* en su narración.

II, 4.   Pero esa posición puede alterarse, y ese narrador *ajeno* pasar a ser testigo de lo narrado. Automáticamente se amplían las funciones de las unidades narrativas, que, sin abandonar su función doctrinal de *apoyar*
el relato ($a_{11.1}$ en apoyo de a_{11}, y ésta como *exenplo* explicativo de un punto de *a*), pasan a funcionar como
episodios independientes de una estructura coordinativa.
Y relacionadas entre sí no únicamente por analogía de
funciones (la subordinación ejemplificadora), sino por un
tenue enlace biográfico. Todavía subsiste la distancia temática entre narrador y episodio, ya que en éste (el *exenplo*) el narrador no es narrador-actante, sino simplemente
narrador-testigo. Es el caso de las unidades $a_{4.1}$, $a_{4.2}$ y
$a_{4.3}$, con respecto a a_4.
   Las tres están, desde luego, en función explicativa del
desenlace de a_4. Esa dependencia jamás la perderá ninguno de los *exenplos*. Como el desenlace de a_4 servirá de
aviso y escarmiento a Digna en *a*. Pero *el religioso robado* llegará a la conclusión de que somos nosotros mismos los causantes de nuestros infortunios, a lo largo de
un *viaje* emprendido en busca del ladrón que le hurtó
los paños. Y cada episodio contemplado (se repite en
cada caso «e esto a ojo del rreligioso») es una acumula-
ción de experiencia, que se concentra en su declaración
final. Con el mismo ojo avizor el pícaro irá después con-
templando (y *viviendo*, he ahí la enorme diferencia) episodios aleccionadores en su viaje experimental, hasta
concluir en la misma desengañada y practicista filosofía.
Sólo falta ese *vivir* el relato, fundiendo narrador y personaje.

II, 5. Pero para vivir ese relato, para hacer coincidir
el personaje-actante del *exenplo* con el personaje-narra-
dor del mismo (y que es también, por supuesto, personaje-actor de la unidad narrativa que le enmarca y origina), se imponen, necesariamente, dos elementos formales: la narración en primera persona y la regresión temporal. Y ambas se cumplen en el capítulo V del *Calila*:

DIÁLOGO DIDÁCTICO [Abendubet-filósofo]

→ c: *Aqui se acaba el capitulo de la pesquisa que fe-zieron sobre Dina e comiença el ca-pitulo çinco, de la paloma colora-da e del galapa-go e del gamo e del cuervo, e es capitulo de los puros amigos.*

→ c_1: El ratón que sacaba sus fuerzas del tesoro escon-dido.

→ $c_{1.1}$: El hombre que que-ría dar de comer a sus amigos.

$c_{1.2}$: El lobo y la cuerda de arco.

De esa necesidad básica (derivada, repito, de la identidad narrador = personaje-actante, inherente a toda
autobiografía convencional o auténtica) se alimentará la
posterior picaresca. Lazarillo unirá en sí la técnica del
exenplo a_4 con la de c_1, en donde los episodios, además de
pasar «a ojo de» un personaje = narrador-testigo, son
vividos por él, como son vividos o contemplados los
exenplos $c_{1.1}$ y $c_{1.2}$ por el ratón, que cuenta en él su
propia historia, como inciso y retroceso narrativo de su
actuación dentro de c_1. Lazarillo eliminará todo marco narrativo para su historia. Por ello aquellos personajes que
escuchan el relato del ratón, dentro de la unidad c, y que,
terminado aquél, vuelven a asumir su papel de perso-
najes-actantes, desaparecen y se concentran en un *vuestra
merced*, como receptor expreso dentro del contexto verbal, pero fuera del universo representado.[8] Ese receptor

---

8. De ahí esa impresión de «epístola hablada», como lo denomina
Claudio Guillén, *La disposición temporal de «Lazarillo de Tormes»*, «His-
panic Review», XXV, Philadelphia, 1957, pp. 264-279. La elevación a
símbolo de ese *vuestra merced*, propuesta por A. Prieto, *Ensayo semio-*

que Alemán identifica con el lector, o que Espinel introduce, de nuevo, en el contexto novelesco al crear en e
Ermitaño un interlocutor para Marcos de Obregón.

Ahora bien, en sistemas novelescos de estructura coo
dinativa y con fuerte presencia de un marco narrativo
como es el caso de los *Cigarrales*, el recurso de este ca
pítulo del *Calila* es normal que aparezca, ampliament
desarrollado. Naturalmente, el sistema narrativo de la
historia de don Juan de Salcedo, del *Cigarral tercer*
tiene un origen muy distinto (en analogía con *La Diana*
al igual que otras novelas cortesanas). Sin embargo, s
modo de inserción en el marco es curiosamente similar

$$
\underset{\substack{\text{MOTIVO}\\\text{GENERADOR}\\\text{trama}\\\text{argumental (A)}}}{}
\left\{
\begin{array}{l}
\rightarrow \textit{Cigarral} \\
\quad \textit{tercero } (b_3)
\end{array}
\right.
\left\{
\begin{array}{l}
\rightarrow b_{3.1}: \text{ historia de don Juan } \\
\qquad \text{Salcedo} \\
\rightarrow b_{3.2}: \text{ historia de Marc} \\
\qquad \downarrow \quad \text{Antonio} \\
b_{3.3}: \text{ historia de Dionis}
\end{array}
\right.
$$

Naturalmente, si el *Calila* se configura como núcle
generador de estructuras yuxtapositivas (y con él tod
la novelística oriental), en la distancia que media entr
la versión de al-Muqaffa y los relatos cortesanos de l
España del XVII, han ocurrido demasiadas cosas en e
universo cultural europeo para que los viejos esquema
(asimilados y transformados durante varias centurias) n
se hayan enriquecido con nuevos elementos, de profund
significación social.

lógico de sistemas literarios, Barcelona, Ensayos/Planeta, 1972, pp. 3
38, reforzaría esa intencionada eliminación de un marco narrativo, don
de en el que, necesariamente, el receptor inmediato ha de esta
expreso. Como lo está para Cingar al relatar su autobiografía en los ca
pítulos XIX y XX del *Baldus* castellano, en donde, lo mismo que en e
Lazarillo (o que en los *exenplos* c_1, $c_{1.1}$ y $c_{1.2}$ del *Calila*), el cuent
folklórico, la facecia, el mismo *exenplo*, se inserta en una vida y s
convierte en episodio individualizado de una narración autobiográfic
como ha sido señalado por Alberto Blecua, *Libros de caballerías, latí
macarrónico y novela picaresca: la adaptación castellana del Baldu
(Sevilla, 1542)*, «Boletín de la Real Academia de Buenas Letras de Barc
lona», XXXIV, 1971-1972.

III. SISTEMAS NARRATIVOS DE ESTRUCTURA
YUXTAPOSITIVA

III, 1. Los cambios han sido profundos. Pero, pese
 ellos, los dos nexos unitivos del *Calila* (como fórmula
 integración ya acuñada) no desaparecen: diálogo di-
ctico y encuadre novelesco de distintas unidades na-
ativas. Aunque ya sobre ambos sistemas se cierna di-
ctamente, en el XVI y XVII español, la sombra de Juan
anuel y Boccaccio, ya en comunicación directa y
xtual.[1]

En el primero, el diálogo generador de relatos se aten-
á formalmente al viejo sistema de Pedro Alfonso y del
lila: la pareja maestro-discípulo, con las *demandas* del
gundo al primero como soporte de los cuentos. Aun-
e ya en Juan Manuel esa pareja se eleve a la catego-
 de protagonista dual, como un desdoblamiento vital
 su autor, que Gracián recogerá para elevarlo al sím-
lo de vida de Critilo-Andrenio.[2] Naturalmente, el siste-
a sigue configurándose dentro de una estructura abier-
 que abarca los dos niveles: el formal, porque no hay
sibilidad de *cerrar* un texto no narrativo, sin límites
paciotemporales, y el simbólico, porque una experien-
 vital se acompaña ininterrumpidamente de un fluir
nporal, de análoga manera a como don Juan Manuel
nominó *Libro infinido* al conjunto de su saber doctri-
rio político-social.

Boccaccio recoge el segundo de los nexos: el marco
rrativo. Pero si Juan Manuel asimiló el diálogo didác-
o a su propia intimidad experimental (es *su* didactismo
 l del grupo y estructura social que le configura), Boc-
ccio, vital y renacentistamente, asimiló la narración
emplificadora a *su* vitalismo y a la aspiración hedonista
 su sociedad. Y la historia del *león y del buey*, o de

. Sobre la evolución del *exenplo* en las literaturas románicas y la
ría de la novela renacentista, cfr. el fundamental estudio de Walter
st, *La novela corta en la teoría y en la creación literaria*, Madrid,
dos, 1972.

 Cfr. Antonio Prieto, *Ensayo semiológico de sistemas literarios*,
cit.

la paloma colorada, o la del viejo rey Alcos, de Jude
que teniendo noventa mujeres «non podia aver de ni
guna dellas fijo»,[3] se reduce a la leve trama amoros
jugada por «una onesta brigata di sette donne e di tr
giovani». En la luz renacentista de una quinta de Fl
rencia se abre la ruta por la que caminarán Chauce
Margarita de Valois o Basile. E ilumina las *noches d
invierno* de Eslava, las *huertas de Valencia* de Castill
Solórzano, los *Cigarrales* toledanos y hasta las casas co
tesanas en que una refinada sociedad barroca pretend
unir el *deleite* y el *aprovechamiento* en las Carnestole:
das madrileñas de 1632.

Incluso en los sistemas narrativos más próximos a
diálogo didáctico agrupador de relatos, de origen medi
val, se deja sentir la presencia de la tertulia boccacciana
dotando a ese diálogo de un contorno ambiental y ten
poral, aunque no comporte una trama novelesca.

Así, en los preliminares de *El filósofo de aldea*,[4] parec
configurarse una nueva pareja Abendubet-filósofo. O un
Lucanor-Patronio, en donde la obligada identidad cr
nológica del personaje dual de don Juan Manuel se b
furca en un intencionado contraste temporal y, sob
todo, social: el *Filósofo*, apodo del maduro Prudenci
aldeano, y el Caballero mozo, don Juan. Pero la *demana
y la *respuesta* (ejemplificada en historias) del sistem
medieval se amplían a otros interlocutores y a otros r
ceptores, hasta formar narrativamente la tertulia.

Por lo pronto, la dualidad iniciada se quiebra median
la designación, por parte de los reunidos, de dos sol
citantes (no don Juan) que propondrán al Filósofo le
temas de cada una de las cinco *Conversaciones* (lo mi
mo que en cada Jornada del *Decameron* la reina o re
designados respectivamente, Pampinea, Filomena, Nei
la, Filostrato y Fiammetta, marcan el tema de los cue
tos y el orden de los narradores):

---

3. Núcleo inicial del marco narrativo del *Libro de los engaños
Sendebar* (p. 4 de la edición de J. E. Keller, Castalia, 1959).
4. *El filósofo de aldea, y sus conversaciones familiares y exemplare
por cosas y sucessos casuales*, por el alférez don Baltasar Mateo Velá
quez, Pamplona, 1626. Cito por la edición de E. Cotarelo en Colecci
Selecta de Antiguas Novelas Españolas, IV, Madrid, 1906.

... y habiendo llegado el día de la primera conversación y acudido a ella algunos caballeros mozos y
algunas personas graduadas en diferentes Facultades,
dieron la mano a un caballero y a un doctor, para
que preguntasen al filósofo del aldea...[5]

Con la designación se han individualizado, evidentemente, los dos grupos sociales que integran la tertulia
frente a la armonía social de los cinco árbitros boccac-
cianos). Porque no es inverosímil ver en ellos el expo-
nente de *hidalgos* y *letrados*, como representantes significativos de una determinada esfera social barroca: la
prudente e integracionista herencia de un viejo y ente-
rado ideal renacentista que aunaba las armas y las letras, y que aún vivió el alférez don Baltasar Mateo Velázquez.[6] Y más significativamente aún, esos dos esta-
mentos sociales se dirigen en demanda de una respuesta
a Prudencio, *aldeano*, a quien se disponen a oír «como
otro Senado de Roma al villano del Danubio».[7]

Pero con la designación (¿simbólica?) de los dos interlocutores del Filósofo, representantes de un *grupo* de
receptores, el esquema didáctico de procedencia medieval se rompe también a nivel formal. Desde luego subsiste el hecho de que el marco del diálogo se divide en
razón de su contenido didáctico, correspondiendo cada
Conversación al tema doctrinal propuesto por uno de los
dos personajes indicados, y la respuesta doctrinal (equi-
valente a la narración en el *Calila*) la dará Prudencio, el
villano filósofo. Pero los relatos que apoyan el discurso
teórico (= *exenplo* → narración) se ponen en boca de los
distintos interlocutores, que van así aportando su personal experiencia, tanto de acopio cultural como directamente vivida.[8]

5. Ed. cit., p. 167.
6. Declara en la dedicatoria: «Luego que llegué a los años de dis-
creción, y conocida la inclinación mía, la que tenía a las armas, vién-
dome necesitado de aprender, sin maestro, y crecer alejado de mis pa-
res y patria, por huir de la ociosidad... procuré en las plazas de la
Mamora y Alarache, y en otras que he servido a Su Majestad, algún
género de lición para ocuparme y para ocupar el tiempo cuando no
salía a campaña...» (ed. cit., p. 157).
7. Ed. cit., p. 167.
8. Así, el Doctor cuenta la *Relación del suceso trágico de Polimo y*

El entorno social, los componentes de la tertulia, abandonan, pues, su función narrativa originaria para pasar
a asumir en ellos los papeles de Lucanor y de Patronio.
Pero en donde la dualidad de vida se transforma en
perspectivismo social. Son, en definitiva, dos estados los
que apoyan las sensatas palabras de un tercero: hidalgos,
letrados y villanos unidos en un común tiempo y espacio.
Todos son *respuesta* ejemplificadora. Lo cual hace necesaria la presencia de otros receptores del mensaje: esos
oyentes que ni dialogan ni actúan (cuyo juicio afirmativo
o negativo ignoramos), de cuya presencia se nos ha ad-
vertido: el resto de la tertulia, que reciben la admoni-
ción en nombre de la sociedad a la que representan.

III, 2.   A la manera boccacciana, Mateo Velázquez ha
montado el esquema de su obra sobre una narración en
tercera persona, en donde los personajes-narradores es-
tablecen una relación espaciotemporal entre sí. Son, desde luego, nuevos soportes, vehículos de comunicación de
teorías e historias; pero sobre ellos actúa siempre el distanciamiento del narrador-autor, que posibilita su definición psicológica, su contorno sociocultural, más allá de
sus propias declaraciones. Como personajes de una narración de autor omnisciente, los conoceremos tanto por
lo que ellos digan como por lo que el autor nos comuni-
que sobre su personalidad. En el diálogo puro, como en
la narración en primera persona, el personaje habrá de
definirse a sí mismo. El único perspectivismo será la
confrontación de sus declaraciones con la respuesta expresa de sus interlocutores. E, igualmente, el espacio y
el tiempo lo marcará, o lo veremos, a *través de* su perspectiva. Porque el diálogo como integrador de unidades

---

Sigeldo, su hijo, leída «en un libro antiguo», como confirmación del
Abecé de Prudencio sobre la crianza de los hijos, y éste narra otra que
le «refirió cierta persona» sobre análoga materia *(Conversación primera)*. En la *Conversación segunda*: *Del tomar estado*, Prudencio refiere
«el suceso de una serrana» de su propio pueblo, que demuestra la verdad de las propias teorías expuestas. Pero el Caballero añade un nuevo
ejemplo, contando un episodio autobiográfico: «os diré lo que me sucedió cuando vivía en Madrid, viniendo por este camino de Buitrago, estando el rey Felipe III (q.e.e.g.) cerca de Burgos» (ed. cit., p. 208).

narrativas puede presentarse, a nivel formal, sin el auxi-
lio narrativo de esa expresión en tercera persona que
amplifique novelescamente el contorno. Será, de nuevo,
una tertulia boccacciana, pero en donde no oímos la voz
del autor. Y en ambas posibilidades se corta el hilo de
enlace con lo oriental, para anudarlo a un género y una
práctica renacentistas: el diálogo didáctico narrativo, en
su funcionalidad social.[9]

Porque el *contar cuentos* brillantemente ya no es sólo
un recurso literario de finalidad sociomoral. *Il Decame-
rone* es, además de otras muchas cosas, un modelo de
cortesanía, aunque esté tan empapado de espíritu bur-
gués. Y si las damas y caballeros renacentistas *dialogan*
tan exquisitamente en las pequeñas cortes italianas, uno
de esos caballeros, Castiglione, desarrollará alguno de sus
diálogos[10] sobre la necesidad de saber contar cuentos con
gracia, como algo inherente al perfecto cortesano.

Es algo que debió de tener muy presente Margarita
de Valois al concebir, hacia 1546, la idea de su *Heptameron*. Porque si bien esa forzada reunión de cortesanos
que motiva las narraciones se vincula estrechamente a
Boccaccio (como declara expresamente la autora en el
prólogo), las disquisiciones sobre el amor que esos personajes del marco narrativo tejen en conversación al final
de cada *Jornada* se ofrecen, a mi entender, en una doble
consideración: como trasunto de un elemento literario
de fuentes concretas[11] y como eco de una práctica social
renacentista, como es la tertulia de cortesanos, cultos y
refinados, que han armonizado vida y cultura en un

---

9. También el diálogo didáctico renacentista ofrece, como es sabido,
as dos posibilidades: el diálogo puro, sin contorno, de un Juan de
Valdés, o el *narrativo* de Castiglione. O de un fray Luis de León, de tan
compleja estructura en sus *Nombres de Cristo*.
10. Capítulos IV, V, VI y VII del Libro II de *Il Cortegiano*.
11. En mi prólogo *En la ruta de Boccaccio* a la primera edición española de la obra (Margarita de Valois, *El Heptameron*, versión castellana de J. Martínez Gastey, Barcelona, Marte, 1966), y a propósito de
a posible vinculación de la Narración cuarta de la Jornada primera con
temas de la novela sentimental española, apuntaba la posibilidad del
enlace de las discusiones teóricas con el debate final de *La Cárcel de
Amor* (traducida al francés, e incesantemente reimpresa, como es sabido, desde 1526), junto con la indiscutible presión de la tertulia renacentista, cuyo módulo literario Castiglione sistematizó.

análogo código. Y en ese código vital una de sus obliga
ciones es saber narrar historias y anécdotas, sin afecta
ción, con expresividad, interés y, sobre todo, oportunidad

> Mas yo he dicho en las gracias no haber arte, porqu
> dellas se hallan dos suertes solamente, de las cuale
> la una consiste en el hablar largo y no interrompide
> como se vee en algunos que cuentan con tan buen
> gracia, y exprimen tan perfectamente algo que l
> haya acontecido o hayan visto o oído, que con lo
> gestos y ademanes y palabras nos lo pintan y nos l
> ponen delante los ojos, y casi nos lo hacen tocar co
> las manos; ésta por ventura, por no alcanzar vocabl
> propio en nuestro romance, se podría llamar, aprov
> chándonos del latín, festividad o urbanidad. La otr
> suerte de donaires es breve, y está solamente en lo
> dichos prestos y agudos, y que alguna vez pican, com
> suele pasar entre nosotros muchas veces; y aun p
> rece que no tienen gracia si no muerden algo; ésto
> entre los antiguos, solían también llamarse dichos; ag
> ra comúnmente se llaman gracias o donaires, o e
> cierta coyuntura, motes, si quisiéredes. Digo, pue
> que en la primera suerte que hemos dicho poders
> llamar urbanidad, la cual consiste en aquella propi
> y sabrosa manera de contar alguna cosa, no hay n
> cesidad de arte, porque la natura misma hace y form
> los hombres hábiles a saber decir un cuento gracios
> y acompañarle con un no sé qué, que le da má
> gracia, concertando el gesto y los ademanes con l
> voz y palabras, y aplicándolo todo como conviene par
> esplicar propiamente y representar lo que quieren.[12]

Pero si la habilidad y expresividad del *modo* del relate
deriva de *natura* y no precisa *arte* —esto es, reglas—, s
podían facilitarse, en cambio, al aspirante a cortesane
unos *modelos* que le proporcionasen aquello que *natur*
no otorgaba en todos los casos. De ahí, de esa necesidac
social, derivarían los numerosísimos compendios de fa
cecias, apotegmas, *dichos y hechos*, refranes y sentencias
dentro de un género que aunaba lo paremiológico y lo

---

12. *El Cortesano*, trad. de Juan Boscán, Madrid, C.S.I.C., 1942, pá
ginas 161-162.

arrativo, como tan certeramente ha analizado Alberto
lecua.[13]

Porque la práctica social exigía un aprendizaje, por lo
aismo que debió de estar extendidísima. El *Apotegma*
54 de Juan Rufo comienza:

> Sirvió de fruta de postre en una buena conversación
> el decir cada uno de los presentes alguna novela que,
> pareciendo gran mentira, fuese verdad o tuviese apa-
> riencia dello...[14]

cuando el autor del *Crotalon* describe las ocupaciones
e una refinada sociedad caballeresca y cortesana escri-
e: «y otras, a la sombra de muy apacibles árboles, no-
elan, motejan, ríen con gran solaz...»[15] De tal manera
ue el componer una colección de relatos breves, sen-
ncias y *dichos* acreditaba de ingenioso a su autor, pero,
tiempo, proporcionaba *material* a una sociedad en don-
e ese ingenio se cotizaba muy alto.

Así, la teoría de Castiglione podía *ejemplificarse*, dan-
o «modos y avisos de hablar sin verbosidad, ni afecta-
ón, ni cortedad de palabras que sea para esconder la
azón, dando conversaciones para saber burlar a modo
e palacio», como declara en su dedicatoria don Luis de
ilán.[16] La imitación del valenciano no se levanta del
squema trazado por Castiglione, y su corte del duque
e Calabria y la reina Germana parece un trasunto ideo-
gico de la de Urbino, con la sola adición de cierto mo-
miento en la acción y un mayor incremento descripti-
o. Pero tiene, en su intencionalidad al menos, la misma
arga practicista de enseñanza del bien *decir* y *hacer*
ortesanos que su anterior *Libro de motes de damas y*
aballeros.[17] Por ello, para presentarlo como experiencia

---

13. *Introducción* a *Juan Rufo, Las Seiscientas Apotegmas y otras
ras en verso (1596)*, Madrid, Espasa-Calpe, 1972.

14. Ed. cit., p. 194.

15. *El Crotalon*, Quinto canto, ed. de A. Cortina, Buenos Aires, 1945²,
82.

16. *Libro intitulado El Cortesano*, compuesto por don Luis de Milán,
lencia, 1561, en Colección de Libros Españoles Raros o Curiosos, VII,
adrid, 1874.

17. Subtitulado *Juego del mandar*, es una breve guía de un auténtico

y guía de un vivir, los cuentos insertos en los diálogo
(a manera de ejemplo explicativo de los mismos, com
en ocasiones hace también Castiglione) son frecuent
mente anécdotas que se refieren como algo sucedido
los mismos personajes: «como oiréis en este cuento qu
os diré: Una tercera de Joan Fernández...», y terminac
la relación: «Dixo Joan Fernández: Pues vos habéis c
cho un cuento de mí, yo diré otro de vos, y es éste: Sepa
que don Luis de Milán...»[18] No importa tanto la aute
ticidad de la atribución como el sentido de algo vivic
que cobra el relato al adjudicarse a un protagonista co
creto y, es más, presente. Ya Margarita de Valois hab
aplicado historias de origen tradicional a personajes co
táneos, hasta convertir a un criado del duque de Ale
çon, su primer marido, en protagonista de un relato qu
arranca de los *fabliaux*, que aparece en Boccaccio y r
aparece en las *Cent Nouvelles nouvelles*. Análogo proc
dimiento, si bien con distinta funcionalidad, al emplea
por don Juan Manuel *vivificando* un relato tradicion
mediante su adjudicación a un protagonista cercano
real, como puede ser su propio padre.

Pero el procedimiento de esa fusión de los personaj
del marco narrativo con los de las unidades narrativa
insertas en él no es frecuente en sistemas yuxtapositiv
de narración. Aunque sea un indudable precedente de
compleja estructura de los *Cigarrales*, o sirva de eleme
to básico en el esquema narrativo de *El Pasajero*
Suárez de Figueroa.

Luis de Milán presentaba un cuadro narrativo de d
dáctica cortesana: la *ejemplificación* cobraba vida nov
lesca. Es decir, la práctica social de la tertulia cortesar
se desdoblaba en su representación literaria, y desde e
plano aleccionaba a un grupo social que era símbolo c
un ideal de vida.

Aparentemente, cumplía el viejo procedimiento de *e*
señar con el ejemplo, a la manera del *Calila*. Pero l
intención, el mensaje, son distintos, como es totalmen

---

juego de salón, basado en el ingenio verbal. Se publicó en Valenc
en 1535. Reimpreso en el mismo tomo de la nota anterior.
18. Ed. cit., p. 93.

stinto el receptor. No importa que muchos de los cuen-
s de las colecciones del XVI o del XVII procedan de
tiguos apólogos orientales o mezclen a ellos narracio-
s italianizantes, como Sebastián Mey en su *Fabulario*.
que en los libros de *exenplos* del XIV y el XV se entre-
ezclen Plutarco o Valerio Máximo.[19] Porque las colec-
ones de *apólogos* (sin marco narrativo) están agrupa-
s en orden a una enseñanza y práctica moral, y, como
l, serán profusamente utilizadas por los predicadores.[20]
as colecciones renacentistas se destinan a un entrete-
iento y adiestramiento sociales; lo que debe destacar
ellas es el ingenio, y van a ser, en sí, una práctica de
ltos hombres renacentistas, y destinadas, por tanto, a
a sociedad de aspiración cortesana.

Así, Mal-Lara, el humanista, escribirá su *Philosophia
lgar*; Melchor de Santa Cruz, su *Floresta española*;
an Rufo olvidará las octavas de su *Austríada* en la
mposición de sus *Apotegmas*, o el lírico Arguijo dedi-
rá sus ocios a *notar* su divertida colección de cuentos
anécdotas de conocidos personajes, entre tantos otros
tores en los que se va perdiendo el tufillo didáctico
l viejo cuento oriental entre socarronerías popularis-
s, respuestas ingeniosas, cuentecillos folklóricos y anéc-
tas históricas. Su propia sociedad (a veces ellos mis-
os, como Rufo) les suministra el material. Y, sin ánimo
originalidad creativa alguna, ellos lo devuelven a la
ciedad de donde brotó, como un *modo* de relato.

Timoneda, el impresor, lo vio muy claro: el *diálogo so-
al* requiere unos modelos narrativos, y progresivamente
declarando esa intención en sus ediciones. Comienza

9. La presencia, por ejemplo, de los *Dicta et facta memorabilia* de
lerio Máximo es notoria, y hasta masiva, en el *Libro de los exenplos*,
nto con breves relatos procedentes de la literatura patrística.

20. Curiosamente, cuando el viejo apólogo oriental cobre de nuevo su
lactismo moral en el XVII será ya inserto en una narración sintagmá-
a, de técnica alegórica, como en Gracián. O se interrelacionará, per-
endo su carácter yuxtapositivo, en la curiosa obra de Cosme Gómez
Tejada, *León prodigioso* (Madrid, 1634), en donde cada *apólogo* es
capítulo de una trama general que narra las aventuras (entre novela
caballerías y narración griega) del León Auricrino y de su fiel escu-
ro Pardalín. Preparo actualmente un estudio sobre su interesante es-
ctura narrativa.

en *El buen aviso y portacuentos*, de 1564, definiendo e
contenido del libro como «de apazibles dichos, y muy
sentidos y provechosos para la conversación humana».
Tres años después, en *El Patrañuelo*, ya alude al mode
de la narración: «... con tal que los sepas contar como
aquí van relatados, para q[ue] no pierdan aq[ue]l as
siento ilustre y gracia [con] q[ue] fueron compuestos».
Aún más: dos años después marcará ostensiblemente la
finalidad practicista, modélica, de sus libros, cuando es
cribe en los preliminares de *El sobremesa y alivio de
caminantes*:

> Por esso el dezidor [h]ábil, prudente,
> tome de mí lo que le conviniere,
> según con quien terná su passatiempo.

Y añade en la *Epístola al lector*: «Assí que fácilmente, l
que yo en diversos años he oído, visto y leído, podrá
brevemente saber de coro, para poder dezir algún cuent
de los presentes»,[23] e incluso le da alguna norma sobr
el modo de hacerlo, recalcando el oportunismo del relato
es decir, su conexión con el diálogo real en que habrá d
insertarse: «lo digas a propósito de lo que trataren». Cu
riosamente, el marco narrativo dialogado que encuadra
ría (o encuadró) los cuentos y «patrañas» de Timoneda
se hallaba *fuera* del libro. Estaba, efectivamente, en un
práctica social no literaturizada, es decir, no represen
tada en el universo novelístico del valenciano.

III, 3. Cuando ese diálogo social forme parte del tex
to tendremos que admitir un marco no narrativo, de de
rivación social, como encuadre generador de las unida
des narrativas. Por su vivo factor representativo, la ter
cera persona del narrador-omnisciente cede su puesto a
la voz de los personajes que mantienen el marco. El diá
logo, carente de trama argumental, tendrá, sin embargo
un tiempo (el crónico en que transcurre y el físico po

21. Cito por la edición de E. Juliá, *Obras* de Juan de Timoneda, l
Madrid, Bibliófilos Españoles, 1947, p. 279.
22. Ed. cit., p. 7.
23. Ed. cit., p. 191.

el que fluye), un espacio (estático en la tertulia, cambiante en el viaje, pero no mezclados en la misma obra) y una acción, que habrá de marcarse, como los dos elementos anteriores, únicamente por medio de la voz de los personajes, a falta de las acotaciones de un diálogo que se destinase a la representación, como el teatral. Y que, naturalmente, faltan, porque las acotaciones teatrales se presentan (al menos en el teatro clásico) como fuera del discurso y destinadas a un receptor intermedio, el actor o director escénico,[24] que actuará, mediante la ejecución de las mismas, de simple enlace comunicativo entre emisor (autor) → receptor (espectador), que las recibe no por medio oral, sino visual.

Pero en un diálogo narrativo destinado a la lectura, carente de ese receptor intermediario, la acotación explicativa tiene que insertarse en el mismo enunciado. Punto en que, naturalmente, habrán de coincidir los diálogos narrativos de estructura yuxtapositiva aquí analizados con las novelas dialogadas, fuertemente sintagmáticas, derivadas de La Celestina.

La ausencia de la tercera persona otorga al marco dialogado una profunda carga de objetividad.[25] No es ése, desde luego, el propósito de sus autores (ninguno de ellos es, probablemente, un teórico de la novela, como lo fue Cervantes). Para ellos el marco dialogado puro es una *técnica* (o un género) de comunicación didáctica, que tiene avalada por nombres prestigiosos del Renacimiento. Ahora bien, los personajes que dialogan también pueden ser narradores e insertar, por tanto, en un marco que fluctúa entre lo teórico y lo costumbrista, unidades

24. Sin alcanzar, en modo alguno, la *literaturación* narrativa de una parte del teatro moderno (recuérdese a Valle-Inclán, como típico ejemplo), las acotaciones teatrales cervantinas se apartan de ese simple papel de una acción visual para insinuarse en ellas el mundo *total* del novelista. Sería, entonces, la contrapartida de esa ausencia de *indicadores*, fuera del enunciado, de los diálogos narrativos que aquí analizo.

25. El diálogo (como la carta, el diario o el soliloquio) es el resorte más poderoso que posee un autor (antes del empleo del monólogo interior) para intentar la convencional desaparición del narrador-omnisciente, ya que la comunicación parece establecerse directamente entre personaje-lector. Así, ha sido definido como «la simulation de la plus grande objectivité possible» por Séance Du Matin, *L'expressivité du dialogue dans le roman*, ob. cit., p. 20.

narrativas independientes. Que se presentarán en mayo
o menor progresión cuantitativa y en mayor o menor d
pendencia subordinativa del diálogo que las enmarca
Recordemos los distintos modos de enlace del cuento
la narración en el *Calila*. Así, en *El Pasajero*, Suárez d
Figueroa inserta cuatro unidades narrativas que so
otros tantos retrocesos temporales y en donde se efectú
la unión narrador = personaje (se trata de las cuatr
autobiografías de los interlocutores): lo mismo que e
ratón (c_1) era, a la vez, personaje de c, narrador de e
personaje-actor de c_1 y núcleo generador de $c_{1.1}$ y c_1
Porque también el cuarto relato autobiográfico de *El P*
sajero engendra otras unidades:

A) Diálogo → cuarto retroceso narrativo (d) [auto-
   biografía del Doctor =
   autor, hasta el presente
   temporal de A]

→ d_1: relato autobiográfi
        del anacoreta
→ d_2: relato autobiográfi
        del ventero
→ d_3: historia de la muer
        de su dama
        (episodio explicativo e
        d, relatado por el Do
        tor)

Pero las unidades d_1, d_2 se unen a d de una maner
muy distinta que d_3: constituyendo dos nuevos retroces
temporales, dentro del plano temporal de d. Unos retro
cesos que son casi coetáneos al tiempo crónico de l
autobiografía del Doctor (d), ya que las tres vidas s
presentan inmersas en unos acontecimientos que, fuer
de la edad señalada a cada uno (marcada por la descrip
ción de su apariencia física), nos permiten individualiza
a los tres personajes como los representantes de tre
sucesivas generaciones. Los dos relatos (d_1, d_2) cobrará
a nivel de contenido, un significado específico de denunci
histórico-social que los enlaza con la ideología mant
nida en A y que *justifica* su inserción en el relato. Per
en un plano de estructura formal, esa inserción se reali
za con extraordinaria perfección:

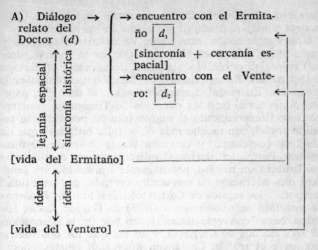

A) Diálogo → relato del Doctor (d)

→ encuentro con el Ermitaño $\boxed{d_1}$

[sincronía + cercanía espacial]

→ encuentro con el Ventero: $\boxed{d_2}$

lejanía espacial — sincronía histórica

[vida del Ermitaño] _____

ídem — ídem

[vida del Ventero] _____

Los dos retrocesos temporales, inmersos en otro que los genera, pueden elevarse así a un mismo nivel significativo con el primero, y el Doctor *transmite* el relato de esas vidas a sus interlocutores (los personajes de A) y, en última instancia, al lector. Sin añadir incisos al relato; con la terrible objetividad del que transmite una dolorosa realidad, cuya presentación basta para extraer las consecuencias. Porque el único punto de enlace *ejemplificador* del contexto estaría fuera de éste, en una posible deducción del receptor-lector: tal vez el *desengaño* del Doctor dimane de la falta de valentía para adoptar la solución vital del Ermitaño (que manifiesta), unida a la repulsa íntima que le causa la propuesta por el Ventero (que también manifiesta). Pero entonces las dos historias estarán de nuevo subordinadas a la narración por nexos no formales: serían la ejemplificación de dos soluciones (la vía mística o la picaresca), entre las que se debate angustiosa una generación: la del Doctor, el desengañado y melancólico Suárez de Figueroa, lejos de Lepanto y en la ruta de Rocroi y de Westfalia.

Pero no siempre el marco dialogado está, como en *El*

Pasajero, tan cargado de connotaciones sociológicas (hasta determinar el modo de inserción de los relatos).

Más simplemente, esta unión de discursos teóricos y narraciones de entretenimiento (que es la norma general) revela su doble vinculación a Boccaccio y al diálogo didáctico del Renacimiento, de filiación neoplatónica o erasmista. En realidad, sus personajes, al dialogar, parecen poner en acción los consejos de Timoneda, construyéndose literariamente el marco intuido por éste: la reunión social, con mucho más de tertulia burguesa que de ideal de cortesanía, y con una fuerte dosis de costumbrismo. Porque en derivación directa de ese costumbrismo brotará un motivo, prontamente tipificado, que generará una narración de estructura cerrada, por necesidad temporal: los relatos de Carnestolendas. Son los *Diálogos de apacible entretenimiento* (1605) de Gaspar Lucas Hidalgo, cuyas conversaciones tienen por fin la recreación de tres noches de Carnaval, y en los que los dos matrimonios y el truhán Castañeda intercalan chistes chocarreros, pullas, burlas y cuentos, en un incesante discurrir del diálogo que marca a la vez, junto al paso del tiempo, «acotaciones escénicas». El ambiente de estos materialistas vecinos de Burgos lo elevará Castillo Solórzano a un refinamiento casi palatino en su *Tiempo de regocijo*, para ser cubierto de religiosidad cortesana en el *Deleitar* tirsista. Pero tanto Castillo como Tirso varían también con el ambiente, el punto de vista del narrador: el marco dialogado revierte, de nuevo, a la narración en tercera persona. Lo que, desde luego, subsiste necesariamente es su obligada división ternaria, dimanada de las tres noches o los tres días de Carnestolendas.

Pero si la tertulia burguesa no se limita a un tiempo, y los diálogos no desarrollan una trama (que pudiera servir de cierre), los cortes temporales dados al discurrir de las conversaciones sólo indican la interrupción periódica de las mismas, ya que al eliminar al narrador omnisciente, los personajes sólo se constituyen en acción mientras dialoguen, es decir, durante el período de tiempo de las reuniones. Entre una y otra habrá una pausa temporal de acción no expresa. Pero, por análoga causa, el diálogo pudiera proyectarse indefinidamente. Así, An-

nio Eslava, en sus *Noches de invierno* (1609), alude, al
mienzo, a noches anteriores de conversación. Y cuando
marca una interrupción que equivale a un final (por
anunciada ausencia de uno de los interlocutores), los
duros comerciantes venecianos que entretienen el ocio
las noches invernales anuncian su reanudación poste-
r. Lo mismo que tres noches pudiera ser todo un
vierno. El elemento temporal no sirve aquí, pues, para
rcar un artificio novelesco que confiera al sistema una
ructura. No se trata ya de la significativa e intencio-
da *apertura* en vida del *Lucanor*, sino de montar un en-
mado coherente para colocar en él discursos y narra-
nes. Creo que Eslava lo consigue mediante un recurso
pacial: el *lugar* real de las conversaciones (contenido
enunciado) y la disposición espacial de las narracio-
s (modo del enunciado).

Las tres Noches van precedidas de un diálogo intro-
ctorio, transcurrido en el muelle de Venecia en una
rde de sol. Leonardo y Fabricio proyectan las reunio-
s *como consecuencia* del mutuo intercambio de dos
atos. Tendrán lugar en casas respectivas de amigos.
final del libro el esquema espacial se consolida:

Diálogo primero:	→ narra Leonardo
muelle de Venecia	→ narra Fabricio (cap. II)

Diálogo segundo:	→ narra Silvio (cap. III)
casa de Albanio	→ narra Fabricio (cap. IV)
(Noche primera)	→ narra Leonardo (cap. V)

Diálogo tercero:	→ narra Leonardo (cap. VI)
casa de Fabricio	→ narra Albanio (cap. VII)
(Noche segunda)	→ narra Silvio (cap. VIII)

Diálogo cuarto:	→ no hay historia; diálogo polémi-
casa de Leonardo	co en ataque y defensa de las mu-
(Noche tercera)	jeres; nuevo interlocutor: Cami-
	la (cap. IX)
	→ narra Fabricio (cap. X)
	→ narra Albanio (cap. XI)

Una simple observación del esquema antecedente pa-
e obligar a una consideración: la estructura se podría
rar en razón de un espacio, derivado del *número de*

narradores, con un quinto diálogo en casa de Silvio. Si
embargo, hay un hecho repetido: el anfitrión respectiv
no actúa de narrador. En *b* no narra Albanio, en *c* no
hace Fabricio y en *d* tampoco actúa Leonardo, en cuya
casas están. Pero las unidades narrativas, en un princ
pio, deben estar igualadas a las secuencias temporales d
marco del diálogo (tres noches = tres casas → tres hist
rias cada noche y en cada casa). Pero si el anfitrión ejer
la sola función de árbitro o mantenedor de la convers
ción, hace falta un cuarto interlocutor, un personaje qu
a modo de comodín en un juego de cartas, vaya sus
tuyendo, respectivamente, a Albanio en *b*, a Fabricio
c y a Leonardo en *d*, que han pasado a ejercer una fu
ción distinta en el entramado narrativo. Entonces el pe
sonaje no puede generar una cuarta noche, salvo ro
piendo el sistema analógico (tres noches = tres histori
en cada una) o aumentando el número de historias
cuatro cada noche, lo cual equivaldría a la creación
un quinto narrador, iniciando una progresión ilimita
y sin solución.

Pero Eslava ha dividido, en realidad, la obra en cuat
diálogos, situados en cuatro espacios, desde el momen
en que el primero, de carácter introductorio, contie
también unidades narrativas. Y el autor sustituye en
la narración correspondiente al personaje funcional
Silvio por una discusión, no narrativa, mediante la incl
sión de otro personaje funcional: Camila. Y con la des
parición de la historia que ocuparía el capítulo IX,
boca de Silvio, la adecuación narrativa entre *a* y *d*
realiza cuantitativamente. No hay eliminación de espac
narrativo (tres capítulos cada noche), pero sí exclusi
de una unidad narrativa, para enlazar principio y final
la obra (diálogo preparatorio-diálogo de despedida) m
diante la analogía de sus *dos* unidades narrativas resp
tivas.

La obra, pues, se cierra en cuanto a su estructura f
mal, pero se abre respecto a su contenido: el esquer
de *b*, *c* y *d* es total y verosímilmente repetible. De a
la insinuada continuación.

Lugar y número de personajes será también, y cla
mente expuesto, el sistema de cierre proyectado por Tir

n los *Cigarrales*, cuando se sortean entre los veinte con-
ertulios los veinte cigarrales (o lugar de acción de cada
unidad). Por eso cuando anuncia en el prólogo *Al bien
intencionado* el comienzo de la Segunda parte, hemos de
suponer en la afirmación un firme proyecto más allá del
lásico tópico editorial.[26] A Tirso, de tan férrea sistema-
ización narrativa, le repugna una estructura abierta, al
gual que rehúye lo yuxtapositivo puro, como analizo en
áginas posteriores al estudiar el sistema del *Deleitar*.
or eso tiene conciencia, más que nadie, de lo incomple-
o de su primera narración.

Pero el sistema ofrecía otra posibilidad, de análoga
rocedencia social: el *motivo* generador del viaje. Cuyo
raslado literario a una estructura cerrada no precisaba
e ningún artificio formal, como el de la tertulia. Todo
iaje tiene un término que lo cierra temáticamente, y en
l plano narrativo pondrá fin a los diálogos. Pero, sin
mbargo, se sigue manteniendo el corte fragmentario
emporal, necesario en la tertulia dialogada (el resto de
s horas del día) y convencionalmente verosímil en el
iaje: el final de cada jornada. A las puertas de cada villa
ciudad que supone el final de su caminar diario termi-
an su diálogo los personajes de *El viaje entretenido* de
gustín de Rojas, en el curso del cual se relatará, en tres
tapas, la novela de *Leonardo y Camila*. O puede mar-
arse la pausa temporal a la inversa, como Suárez de Fi-
ueroa en *El Pasajero*, comenzando los diálogos al final
e cada jornada, con lo que el viaje sería el núcleo ge-
erativo de una tertulia, en análoga función a la peste
orentina del *Decameron* o a la tempestad del *Heptame-
on*. Y si el viaje genera la reunión forzada de una inac-
va tertulia, ésta origina, a su vez, el voluntario diálogo
on narraciones.

Naturalmente, la práctica social estaba más acorde
on el sistema de Rojas. Así lo atestigua Timoneda a tra-
és de un título revelador que aúna las dos motivaciones:

26. En agosto de 1972, en un artículo periodístico inserto en el diario
«a» (Teodoro Fernández, *Hallazgo de dos cuadernos manuscritos de
irso de Molina en Trujillo*) se daba noticia de la existencia de unos
tógrafos de Tirso, de contenido novelesco y de hondo parentesco con
s *Cigarrales*.

Sobremesa y alivio de caminantes. (De este modo util
zan el recurso numerosos novelistas, como medio de i
troducir una narración aislada en un contexto narrativ
sintagmático.) Aunque Suárez de Figueroa entiende p(
alivio (como denomina los capítulos de *El Pasajero*) no
del entretenimiento del camino, sino la forzada perm
nencia en posadas que «antes obligan a inquietud que
sosiego, por su escasa limpieza y curiosidad», por lo cu
sus cuatro viajeros nocturnos, «pasados algunos rat(
de reposo, dedicados por fuerza al quebrantamiento, tr
taron de aliviar el cansancio de la ociosidad con difere
tes pláticas».[27]

Ambas motivaciones, *viaje* y *tertulia*, actúan como n
cleo generador, el más usual, de la estructura yuxtapos
tiva de la novela cortesana: junto a las *Jornadas alegre*
Las tardes entretenidas, como apunta Castillo Solórzar
en la titulación de dos de sus colecciones.[28] Y sobre l(
dos recursos se montará generalmente su marco (elim
nada ya la teorización del diálogo didáctico), con entr
mado narrativo, por tanto, y en tercera persona. Aunq
entre marco unitario novelesco y las unidades indepe
dientes (narrativas o no) incluidas en él se establezca u
relación progresiva: un marco en subordinación total
las unidades, como simple pretexto editorial de acum
lación armonizada, como es frecuente en las obras (
Castillo Solórzano; una fuerte preponderancia de e
marco narrativo, hasta producir una integración en

27. Cito por la ed. de Francisco Rodríguez Marín, Madrid, Rena
miento, 1913, p. xv.
28. Ofrece, como excepción, un curiosísimo ejemplo de marco (
narrativo) el ofrecido por Céspedes y Meneses en sus *Historias pe*
grinas y ejemplares, encuadradas por una descripción de las ciuda(
españolas en que transcurre la acción de las mismas. Como especif
Yves-René Fonquerne en su *Introducción biográfica y crítica* a las i
velas de Céspedes (Madrid, Clásicos Castalia, 1969, pp. 39-40), el au
intenta «crear la unidad del conjunto a partir de esta armazón (
constituye la apología de España y de las mencionadas ciudades».
procedimiento de enmarcar las narraciones en un marco geográfico,
exaltación, puede relacionarse, pese a la distinta intencionalidad,
sistema de encuadre de los libros de *avisos* o *guías*, entre lo ejemp
cativo y lo costumbrista, como el de Liñán y Verdugo. Pero en él,
contrario de Céspedes (simple analogía ambiental), las unidades se
tegran en el discurso en función demostrativa.

las demás unidades, casi totalmente, según realiza Tir-
en los *Cigarrales*; o una tercera posibilidad: la de que
nbos elementos funcionen en igualdad significativa en
a plano metalingüístico, pero persistiendo la subordina-
ón a nivel formal, como analizo en torno a *Deleitar
rovechando*.

III, 4. Castillo Solórzano, como Salas Barbadillo, o
mo el mismo Tirso, huye casi sistemáticamente de la
lección de novelas aisladas a la manera de las *Ejempla-
s* de Cervantes, aunque se integren sus autores en el
ánime reconocimiento de su supremacía en el «nove-
r». La declaración inserta en los *Cigarrales* es bien co-
cida:

> También han de seguir mis buenas o malas fortunas,
> Doze Nobelas, ni hurtadas a las toscanas, ni ensarta-
> das unas tras otras como procession de disciplinantes,
> sino con su argumento que lo comprehenda todo.[29]

Sin embargo, lo forzado de un nexo narrativo se evi-
ncia en la mayoría de los ejemplos del género y es
racterístico de Castillo Solórzano. La escasa, por no
cir inexistente, relación entre el marco y las unidades
rrativas que parece querer armonizar se evidencia en
do momento. Podían por ello publicarse aisladamente,

9. *Cigarrales de Toledo*, cito por la edición de Víctor Said Armesto,
drid, Renacimiento, 1913, p. 21. A propósito de esta declaración, la
nsecuencia que saca André Nougué, *L'œuvre en prose de Tirso de
lina*, Toulouse, 1962, es tan certera como tajante: «Tirso n'admet pas
nouvelle comme une œuvre indépendante; elle est, en somme, comme
e partie d'un tout» (p. 392). Lo que ya no me parece tan certero es
agrupación de analogía que parece establecerse entre las ediciones de
velas independientes y las encuadradas en un marco narrativo (aun-
e no fusionadas con él), al que, inexplicablemente, se califica de
ple título: «Il est aussi de tradition de publier des nouvelles sans
un lieu entre elles —comme le faisaient les Italiens—, seulement
upées sous le titre commode et passe-partout de "Carnestolendas",
ardes entretenidas" ou "Novelas ejemplares"» (p. 392). Entonces, si
argumento que lo comprehenda todo» tiene que entenderse no como
rco narrativo, sino como acción generadora de novelas = episodios,
dremos que admitir con Nougué que se tambalean, en parte, los
mos *Cigarrales*, y, desde luego, se desploma *Deleitar aprovechando*.

3

y de hecho así se hizo en ocasiones.[30] Pero, desde lueg
el autor no se molestó demasiado en despegarse del t
pico. Por ejemplo, las *Noches de placer*. El lugar de
futura tertulia (Barcelona), los anfitriones de ella (d
Gastón y sus hijas), los componentes de la misma, la x
ferencia temporal (noche de Navidad) y el proyecto
relatar doce novelas en seis noches de fiesta (dos p
noche), y actuando de narradores una dama y un cat
llero respectivamente, se refieren en una *Introducción*
dos páginas. Aún menos espacio ocupan las líneas q
anteceden en cada *Noche* a los relatos, e incluso alig
ran su carga novelesca mediante la inclusión de un pe
ma, que se canta como preámbulo a la narración. Pe
cuando el lector se dispone a situarse dentro de ese a
ditorio expectante, el *clima* novelesco se trunca, porq
Castillo introduce entre su voz de narrador = autor y
de su personaje (colocado o colocada «en un lugar do
de podía de todos ser oída»[31]) una *Dedicatoria* al frer
de cada novela, dirigida a distintas personalidades. U
Dedicatoria, firmada por *Don Alonso de Castillo Sol*
zano, servidor de V. S., que no está desde luego en
voz del narrador, y que automáticamente relega el ma
co narrativo (escueto y topiquista, pero encuadre narr
tivo intencional) a su papel de simple recurso editori
En este sistema de engarce es obvio que puede sustitui
el relato por la representación escénica.

No vale la pena insistir. Un análisis de la *Huerta*
Valencia, por ejemplo, nos llevaría a las mismas conc
siones. Tal vez con un dato más, de análoga conclusi
peyorativa: en la más elaborada motivación de la tertu
se nos detallan la edad, estado, estudios y físico de l
cinco futuros narradores. Pero nada de ello será sig
ficativo más tarde. En realidad, para su simple papel fu
cional de convencionales intermediarios de novelas,
lo mismo que sean médicos que juristas, jóvenes q

---

30. Así, como señala Cotarelo en su *Advertencia* a la edición de *.*
ches de placer (Colección Selecta de Antiguas Novelas Españolas, V, 1
drid, 1906), tres de las novelas de la citada obra se reimprimieron
1649, en Zaragoza, en el tomo titulado *Novelas amorosas de los mejo*
ingenios de España, y a continuación cita varios casos análogos.

31. Ed. cit., p. 11.

ejos. Las unidades narrativas independientes son siem-
e relatos *ajenos*: nunca el narrador es personaje o tes-
o, y sus tiempos no tienen por qué acusar una sincro-
a. Y no tienen por qué apoyar, a ningún nivel, un
upérrimo y estereotipado marco narrativo sin trama
gumental. Se marcan las pausas entre novela y novela
grupos de las mismas) de análoga forma a las pausas
nporales analizadas en III, 3, con la única diferencia
que aquí es el autor el que comunica el éxito alcan-
do, el que transmite la despedida y dispersión de la
rtulia y la posterior reanudación de la misma. Inter-
edios temporales que permiten a los autores la división
sus colecciones en *Noches, Divertimientos, Jornadas
Desengaños.*

En este esquematismo tipificado del marco narrativo
a trama, típico de Castillo Solórzano, que intenta, sin
abargo, la narración continuada en el *Lisardo* (cfr.
, 1), lo único que varía, por lo general, es el motivo
esa tertulia en función narrativa, que puede originar-
de la celebración de unas fiestas *(Noches de placer,
uerta de Valencia, Tiempo de regocijo...)*, de un viaje
cinco jornadas de Talavera a Madrid *(Jornadas ale-
es)*, o del más original de entretener el espíritu de una
mita melancólica: *Los alivios de Casandra.* O puede,
mo en Salas Barbadillo, acudir a resortes argumenta-
más variados, como en *Casa del placer honesto*, la
uestra en su autor del marco narrativo sin trama más
rcano al tópico de derivación boccacciana. Aunque ni
quiera en él abandone Salas Barbadillo su intento de
mbiar el convencional y evasivo ambiente cortesano
racterístico del género por un mordaz panorama satí-
o, que le llevará a la creación de personajes-tipo, de
usada intencionalidad crítico-social, que efectúan una
sión análoga al entramado de la tertulia: la de gene-
r la narración de cuentos o novelas que se insertan en
desarrollo de su acción vital, como en el *Caballero
ntual.* Pero entonces esas unidades narrativas están,
ersamente, subordinadas al marco. Incluso, en el caso
su *Corrección de vicios*, en función explicativa del dis-
rso moralizante a la vieja *manera medieval*, si bien se
stente en una problemática de denuncia coetánea.

Pero, sin llegar a la alteración del orden establecí (es decir, un marco en función de las unidades), esta e tática y monótona tertulia puede activarse mediante desarrollo de una trama. Los personajes no son simpl pretextos funcionales. Sin dejar de estar creados por para relatar unas novelas conjuntamente, desarrolla de forma paralela una leve acción argumental. Las u dades narrativas continúan siendo independientes y cc posibilidad de separación. Pero ya están unidas por un intencionalidad común a todas ellas, y a veces esa inte cionalidad dimana de la misma trama que las encuadr Los personajes de aquélla las utilizan, en ocasiones, pa su acción. Y si su mensaje específico puede perderse desintegrarlas del sistema, el marco las necesita, a s vez, para un desarrollo propio. Creo que fue ese inten armonizador lo que define el sistema de una María Zayas.

El *motivo* de la tertulia se ofrece en las primeras línea de sus *Novelas amorosas y ejemplares*, tan tipificac como los de Castillo Solórzano: entretener el ocio de ur dama convaleciente. Y en treinta y ocho líneas [32] se co figura el cuadro con todos sus elementos básicos: mo vos y formación de la tertulia, nombre y número de sv componentes, lugar (ciudad y punto de reunión) y époc (coincidencia con las fiestas de Navidad).

Pero en esa brevedad esquemática ya se introduc elementos generadores de una trama argumental:

a) Jerarquización de los personajes, mediante la d tinta descripción del grupo. Así, Lisis (futura protag nista a la vez que anfitriona) es «hermoso prodigio de naturaleza y prodigioso asombro desta Corte», mientr que sus amigas se cualifican en grupo: «todas noble ricas, hermosas y amigas», y, por separado, no alcanz: sino una sola valoración arquetípica: «la hermosa Lisa da, la discreta Matilde, la graciosa Nise y la sabia Filis Frente a ellas, el grupo de caballeros. En primer luga don Juan, en calificación aislada: «caballero, mozo, g

---

32. Cito por la edición de Agustín G. de Amezúa, Madrid, Bibliot Selecta de Clásicos Españoles, R.A.E., 1948.
33. Ed. cit., p. 29.

1, rico y bien entendido». Y éste *se acompaña* «de don
varo, don Miguel, don Alonso y don Lope, en nada
feriores a don Juan, por ser todos en nobleza, gala y
enes de fortuna iguales y conformes».[34] De nuevo se ha
arcado, mediante el empleo de la descripción conjunta,
nivel jerárquico que adoptará en la futura trama uno
lo de los personajes.

b) La presentación de un núcleo generativo de trama
1orosa, mediante la escueta declaración de sus afeccio-
s encontradas: Lisis ama a don Juan y don Juan a
sarda, que se deja querer. Es decir, un conato de ac-
ón a lo pastoril, siguiendo alguno de los esquemas de
Diana, tantas veces utilizados, y núcleo, asimismo, del
igen argumental de los *Cigarrales*. Pero el esquema
sis → don Juan → Lisarda exige un cuarto personaje
e cierre la cadena: don Diego, antiguo apasionado de
sarda, que aparece al final de la *Introducción* (cuando
ha sido distribuido el orden de narraciones, con lo
e don Diego será personaje sólo de la trama, sin pasar
narrador). Con su tardía aparición se insinúa un anti-
o esquema amoroso armónico: Lisis ↔ don Juan y Li-
rda ↔ don Diego, que ha quebrado la deslealtad de don
an y la vanidad de Lisarda, lo que provoca un cambio
sentimientos en don Diego, con el consiguiente y nue-
esquema con que se inicia la acción de la novela:[35]

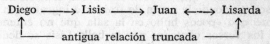

Diego ⟶ Lisis ⟶ Juan ⟷ Lisarda

└──── antigua relación truncada ────┘

ectivamente, sobre los cuatro personajes va a girar la
ción amorosa, que sólo se cerrará al final de la siguien-

4. Ed. cit., pp. 29 y 30.
5. Recuérdese el casi similar esquema de la pastoril. Por ejemplo,
relación que establece Montemayor por boca de Selvagia: «Yo pre-
itaba al mi Alanio la causa de su olvido; él pedía misericordia a la
telosa Ysmenia; Ysmenia quejábase de la tibieza de Montano; Mon-
o, de la crueldad de Selvagia» (p. 53 de la ed. de F. López Estrada,
drid, Clásicos Castellanos, Espasa-Calpe, 1967). La característica ca-
ia de amantes, que Marcial José Bayo conecta con las *Eglogas* virgi-
as (*Virgilio y la pastoral española del Renacimiento*, Madrid, Gre-
, 1959).

te colección de la autora: *Desengaños amorosos. Par*
segunda del Sarao y entretenimiento honesto, continu
ción de las *Novelas amorosas y ejemplares*.

Ahora bien, los elementos novelescos (narrativos o n
que se yuxtaponen a la formada tertulia han de fundir
con ésta y apoyarla. Y la autora lo procura a todos l
niveles.

En la breve *Introducción* que precede a la Novela p
mera ya se marca una nota de integración: los poem
cantados y las danzas están subordinados a la acci
amorosa de la trama, no a las unidades narrativas in
pendientes. No son un adorno del marco, sino eleme
tos funcionales de éste. Por ello, con pretexto de su e
fermedad, Lisis no actúa de narradora en esta prime
colección (sí lo hará en los *Desengaños*) y será la enca
gada de la letra de las canciones. Aparentemente,
papel está al servicio de las novelas, a las que las ca
ciones han de servir de loa o preámbulo, según ha d
puesto Laura, la madre de Filis.[36] Pero la dama, que es
en esa primera noche «vestida del color de sus celos
esto es, de azul, expone veladamente en la letra de
canción su pasión amorosa, con tal tristeza y encan
que hace dudar a don Juan. Pero Lisarda se dispone
narrar la primera historia, y el galán olvida a Lisis p
admirarla y escucharla. Y cuando acaba prorrumpe
tales alabanzas que provoca una nueva canción de Lisi
un soneto donde le acusa de traidor e ingrato, tan clar
mente que «pocos hubo en la sala que no entendier
que los versos cantados por la bella Lisis se dedicar
al desdén con que don Juan premiaba su amor...».[37]

36. La disposición de los relatos sigue efectivamente en el texto el
den establecido en la *Introducción* (frente a los *Desengaños amoros*
en que se quiebra):

primera noche: { — canción a cargo de Lisis
                   — danza o «máscara»
                   — relatos de Lisarda y Matilde

segunda noche: canción a cargo de don Juan, que lo solicita + rela
                  de don Alvaro y don Alonso
tercera noche: canción de Lisis + relatos de Nise y Filis
cuarta noche: canción de Lisis + relatos de don Miguel y don Lope
quinta noche: canta Lisis versos ajenos + relatos de don Juan y La
37. Ed. cit., p. 80.

Ahora bien, ese estallido «poético» de celos ha sido, a
vez, motivado por otro elemento, tan tipificado como
de los poemas cantados a manera de preámbulo: «la
sta de máscaras». Pero que aquí está enlazado a la
ama amorosa (como *causa* de un estado anímico que
termina el valor funcional de los poemas), a la vez que
rve de factor unitivo de todos los integrantes de la ter-
lia en un entramado de afecciones amorosas. María de
ayas se sirve para ello del tradicional juego simbólico
los colores, y de la identidad, por parejas, de los
ismos:

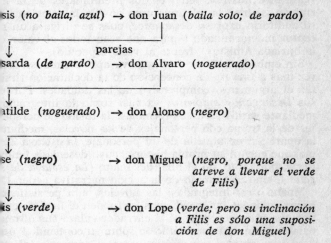

sis (*no baila; azul*) → don Juan (*baila solo; de pardo*)

parejas

sarda (*de pardo*) → don Álvaro (*noguerado*)

atilde (*noguerado*) → don Alonso (*negro*)

se (*negro*) → don Miguel (*negro, porque no se
atreve a llevar el verde
de Filis*)

is (*verde*) → don Lope (*verde; pero su inclinación
a Filis es sólo una suposi-
ción de don Miguel*)

La disposición de las parejas de la «máscara» parece
mper la armonización afectiva de sus componentes,
mo una consecuencia *visual* de la relación desarmóni-
Lisis → don Juan ↔ Lisarda. Subrayada por la inde-
minación que marca la autora del estado amoroso del
al de la cadena, don Lope, y por el silencio en torno
os sentimientos de cada dama. Una solución «a lo pas-
il» sería, naturalmente, cerrar la cadena con la rela-
n amorosa don Lope → Lisis, que la disposición de
rejas hace presumible. Pero en este punto aparece don

Diego, y los siete restantes personajes vuelven a su co[n]
dición de soporte de la trama, dejando abierta indefir[i]
damente esa cadena.

Si la trama subsume, pues, todos los elementos tip[i]
ficados del marco cortesano, falta aún la armonizació[n]
de esa historia amorosa general con las novelas *amor*[o]
sas y ejemplares que, dentro de ella, se relatarán. Cr[e]
que en esta primera obra María de Zayas lo intenta ún[i]
camente a través de nexos formales de sus enunciado[s]
El más frecuente será el dirigirse el narrador respectiv[o]
a su auditorio («hermosas damas y nobles caballeros»
«auditorio ilustre»,[39] etc.) en los preliminares de la n[a]
rración, si bien en el transcurso de ella la relación co[n]
su auditorio expreso desaparece, pues se dirige a un r[e]
ceptor indeterminado («para que vean todos el valor [de]
la burlada Amista»,[40] frente al *veáis* esperado).

Sin embargo, María de Zayas va aproximándose ca[da]
vez más a una rígida concepción de la declaración tirs[i]
ta: el argumento comprensivo de las unidades. Porq[ue]
sus *Desengaños amorosos* ya casi rozan la integració[n]
mediante varios recursos formales: la fusión de person[a]
jes de la trama con personajes de las novelas, median[te]
la aparición en aquélla de un personaje, la esclava Ze[-]
ma, que cuenta su propia historia, cuyo desenlace tend[rá]
lugar, por tanto, no al final del relato (*La esclava de s[u]
galán*), sino al término de la acción narrativa general.

Mucho más integradas, las novelas, aun persistiend[o]
como unidades independientes, se funden al final de ca[da]
una con el marco, porque el narrador enlaza sus últim[as]
palabras con una consideración sobre su contenido[41] qu[e]
a su vez, provoca un diálogo entre el auditorio (al qu[e]

38. Ed. cit., p. 37.
39. Ed. cit., p. 166.
40. Ed. cit., p. 119.
41. Así concluye el Desengaño tercero: «... porque, aunque está cie[ga]
como tiene los ojos claros y hermosos como ella los tenía, no se le e[c]
de ver que no tiene vista. Todo este caso es tan verdadero como la m[is]
ma verdad, que ya digo me lo contó quien se halló presente. Ved aho[ra]
si puede servir de buen desengaño a las damas...» (p. 138). La for[ma]
personal *digo*, empleada por el narrador, se enlaza al *ved* proyecta[do]
al auditorio expreso, como nexo de unión entre novela y marco n[a]
rrativo.

dirige), el cual juzga las motivaciones de los perso-
jes del relato o, aún más importante, proyecta la en-
ñanza dimanada de la historia a una conducta perso-
l. Y, como conclusión de la obra, María de Zayas esta-
ece la totalidad de la fusión determinando que sean
s novelas relatadas (por la enseñanza de sus conteni-
s) las que provoquen una decisión del personaje prin-
pal de la trama general, siendo, por tanto, causa deter-
inante del cierre total de su estructura: tras pasar resta a las peripecias de las diez protagonistas, Lisis
uncia su determinación de abandonar el amor huma-
 para consagrarse a Dios. Su *historia* se ha cerrado, y
n ella se cierra la de Lisarda, don Diego y don Juan.
ro la causa de su evolución y resolución final habrá
 buscarla en un nimio y tipificado núcleo generativo:
 decisión de distraer una convalecencia, un año antes,
atando historias de amor. Lo que no podía suponer
 es posible que María de Zayas tampoco) es que esas
inte historias narradas irían transformando su vida.

IV. FORMAS CORTESANAS DE ESTRUCTURA COORDINATIVA

IV, 1. Recordemos el esquema narrativo de *La Diana*. En el Libro I, mediante un soliloquio de Sireno y un diálogo con Silvano, se monta el núcleo fundamental de la primera acción novelística (A):

1) Sireno ama a Diana, que le corresponde.
2) Silvano ama a Diana, que le aborrece.
3) Diana se casa con Delio.
4) Sireno y Silvano permanecen libres, enamorados de Diana.

Así pues, la acción A está aparentemente cerrada en su resolución, hasta que se coordine con la siguiente, representada por Selvagia (B), que, mediante un relato retrospectivo, se coloca en análoga situación de abandono:

1) Selvagia ama a Alanio.
2) Alanio ama a Ismenia.
3) Ismenia ama a Montano.
4) Montano ama a Selvagia.

Pero la resolución del conflicto se resuelve de tal manera que quede Selvagia desparejada (a fin de poder hacer converger en Libros posteriores las historias A y B):

1) Montano se casa con Ismenia.
2) Alanio se casa con Silvia (hermana de Ismenia).
3) Selvagia permanece libre, enamorada de Alanio.

En el Libro II, que transcurre en la tarde siguiente, unos salvajes atacan a unas ninfas. En su defensa colabora Felismena, que relata su historia (C) hasta el momento presente (amores con Félix y sus vicisitudes, características de la ambientación y la trama de una novela cortesana):

1) Felismena ama a Félix.
2) Félix ama a Felismena, pero al ausentarse se enamora de Celia.
3) Celia se enamora de Felismena (disfrazada de paje).

Los cuatro personajes presentes (Silvano, Sireno, Selvagia y Felismena), *coordinados* en un tiempo y lugar, marchan hacia el palacio de Felicia.

Cuando, ya en el Libro III, van caminando hacia el p[a]lacio, aparece Belisa (D), que relata su historia:

1) Belisa ama a Arsileo y Arsileo a Belisa.
2) Arsenio (padre de Arsileo) ama a Belisa.
3) Arsileo muere a consecuencia del punto 2. La hi[s]toria amorosa se cierra, al igual que A y B.

El Libro IV, central, eje pendular de la novela, e[n] sabia y refinada arquitectura renacentista, de simétric[a] equilibrio, carece de acción narrativa. Las cuatro acci[o]nes, con sus cinco personajes, se concentran en el pal[a]cio de la maga Felicia. Y a continuación, en los tres L[i]bros siguientes, se van resolviendo, incluso las que p[a]recían de acción amorosa terminada. Por efecto del agu[a] mágica, se solucionan las historias A y B:

1) Sireno olvida a Diana.
2) Selvagia olvida a Alanio y ama a Silvano.
3) Silvano olvida a Diana y ama a Selvagia.

Poco después Felismena, que ha proseguido el viaj[e] encuentra a Arsileo (D), que no ha muerto, y los amante[s] se reúnen.

Queda sólo por resolver la acción C, y Felismena pr[o]sigue su viaje en el Libro VI, hasta que en el VII y últi[mo] mo tiene lugar la segunda parte de su «novela» y termin[a] *La Diana* en la triple boda, en el palacio de Felicia, [a] que retornan:

Selvagia	←——————→	Silvano
Belisa	←——————→	Arsileo
Felismena	←——————→	Félix

Pues bien, pensemos ahora en una característica novel[a] cortesana, como el *Lisardo enamorado* (Valencia, 1629) d[e] Castillo Solórzano.[1] En ella el autor ha desdeñado la n[o]vela corta para acometer una narración extensa, en don[de] de el usual sistema de marco + narraciones se sustituy[e] por unas acciones coordinativas insertas en una tram[a] general. Y si bien cambia la ambientación (de la utop[ía] pastoril renacentista a la concreción burguesa del cort[e]

---

1. Sigo, en las citas, la edición de Eduardo Juliá, Madrid, R.A.[E] 1947.

nismo barroco), persiste la *funcionalidad* de unos per-
najes en galería, como portadores de acciones paralelas.
Veamos, como en un sugerente calco, el esquema narra-
o del *Lisardo enamorado.*

En el Libro I sale Lisardo de Madrid, camino de Va-
cia. Encuentra a Félix de Vargas, antiguo amigo, y le
ata su historia (A):

1) Lisardo ama a Gerarda y Gerarda le corresponde.
2) Lisardo mata a don Fadrique, presunto amante de
·rarda. La historia está aparentemente cerrada.

Prosiguen el viaje los dos amigos, y en el Libro II Fé-
relata su historia (B):

1) Félix ama a Victoria, que le corresponde.
2) Don Jorge ama a Victoria, que le aborrece.
3) Don Jorge y don Jaime (hermano de Victoria) se-
ran a los amantes. Victoria espera en un convento a
lix, en Valencia. La historia permanece abierta.

En el Libro III (el viaje prosigue) Félix y Lisardo pre-
ncian un duelo. El asesino huye, y los amigos recogen
herido y le llevan a una venta. Allí, por diversos proce-
mientos (narración del ventero + narración del heri-
+ su propia condición de testigos de la acción), cono-
n la historia de Gutierre (C) y doña Andrea, que muere.
ción amorosa concluida. Pero Gutierre marcha en
sca del asesino de su esposa, y la acción C perma-
ce inacabada.

Ya están los dos amigos en la venta de Pajazos, en el
ro IV, donde se inicia, por señales o indicios, la ac-
n D, que reúne esos indicios al encontrarse herido en
camino a Leandro, que *relata su historia:*

1) Leandro ama a Mayor, que le corresponde.
2) Vuelve don García, antiguo galán de Mayor, y ésta,
r celos de Leandro, vuelve a favorecerle.
3) Leandro ama a Laura, que le espera en Valencia,
enazada de casarse con don Hugo.
4) Por instigación de la despechada Mayor, don García
ere a Leandro.

Curado Leandro, marcha con Félix y Lisardo a Valen-
. En Denia se enteran de que, por culpa del traidor
n Hugo, a Laura la han raptado los piratas, y Leandro
barca hacia Argel. Nueva historia inacabada, mientras

la acción de Félix —ya reunido con Victoria— sufre u
compás de espera.

En las cercanías de Valencia, y ya en el Libro V, los do
amigos encuentran a Lope y a su amigo Lorenzo. Lop
está loco, y Lorenzo *cuenta su historia*:

1) Lope ama a Margarita, que le corresponde.
2) Margarita favorece a don Martín.
3) Lope intenta matar a don Martín y huye.
4) Margarita se casa con don Martín. Lope pierde l
razón.

Por tanto, historia amorosa concluida, si bien subsist
el tema, sin resolver, de la locura de Lope (que motivar
su marcha a Monserrat).

A partir de este momento, el punto convergente de la
acciones (Valencia, donde piensa embarcarse Lisardo
donde esperaban Victoria y Laura) se traslada a Mor
serrat, donde, como los personajes de *La Diana* en el pa
lacio de Felicia, los de Castillo Solórzano resolverán su
conflictos amorosos. La motivación de este nuevo viaj
es resultante, como el anterior, de las distintas motiva
ciones de cada secuencia: Félix va a buscar a un tío d
Victoria, cuya presencia es obligada para su boda; Lisa
do decide acompañarle, y Lorenzo piensa que Lope en
contrará la curación en Monserrat. Se ponen en camin
y allí «les dejaremos por ir a dar cuenta de lo que en e
ínterin le sucedió en Argel al enamorado Leandro».[2]

Cuando comienza el Libro VI, termina la presentació
de historias, aparecidas de Libro en Libro, del I al V. E
el momento de iniciar el declive de la resolución de la
mismas, aunque sin la equilibrada composición de *L
Diana*, rota ya, en pleno XVII, la aspirada armonía d
una arquitectura de equilibrada simetría de las partes.

Así, en los Libros VI, VII y VIII, las cinco accione
coordinadas se desarrollan interrelacionadamente. En A
gel, Leandro (D) rescata a Laura (D), pero también a G
rarda (A), que relata la segunda parte de la historia d
Lisardo: no era la suya una historia inacabada, ya qu
don Fadrique no era Fadrique, sino Rodrigo, y no s
amante, sino su hermano. Y con él (que no murió) b

2. Ed. cit., p. 242.

artido en busca de Lisardo, motivo de su posterior cau-
verio.

De vuelta a Valencia, una tormenta lleva el barco hasta
arcelona, donde encuentran a Rodrigo (A) y conocen
a muerte del traidor don Hugo (D). Desembarcan y se
irigen a Monserrat, y «aquí les dexaremos por decir lo
ue les sucedió a don Félix, Lisardo, don Lorenço y don
ope camino de Barcelona».[3]

En el Libro VII ya están todos en Monserrat. Con la
egada se han cerrado, virtualmente, las historias de Fé-
x y Victoria (B) y Leandro y Laura (D). Pero Lisardo,
in querer ver a Gerarda (aún ignora su inocencia), se
narcha por la montaña, y allí encuentra a un piadoso
rmitaño, a quien reconoce como a don Gutierre (C),
ue, al relatar la segunda parte de su historia, confirma
u decisión final de vida eremítica y termina su ciclo
arrativo.

Y, al fin, en el Libro VIII —donde aún se remata la
istoria B, con los sucesos de don Jaime y la llegada de
ictoria— se celebra la triple boda:

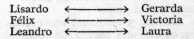

A través del sucinto esquema anterior, es evidente que
os soportes de las acciones A y B (Lisardo y Félix) cum-
len, a nivel de estructura general, una doble función,
erivada de su también doble funcionamiento en dos
lanos: el del sistema general de la obra (*a*) y el de las
ecuencias narrativas que en él se engarzan (*b*). En cuan-
o al primero, las *motivaciones* (dimanadas de *b*) que
eneran el desplazamiento de los personajes a lo largo de
n espacio y un tiempo son el núcleo generador del sis-
ema: Lisardo y Félix se desplazan porque la acción de
A y B así lo determina (plano *b*), pero ese desplazamien-
o pasa a ser, si no causa determinante del resto de las
ecuencias (ni A genera B, ni B a C, ni C a D, etc.), sí su
osibilidad de coordinación en espacios y tiempos comu-

3. Ed. cit., p. 256.

nes. Son, en definitiva, *nexos de unión* de secuencias, a
funcionar en el plano *a*. De ahí su presencia constante en
el desarrollo del sistema. Y de ahí el mantenimiento —sir
solución— de su intriga hasta la previa solución de las
restantes. Recordemos cómo una vez que, en el Libro VI
Gerarda relata la segunda parte de la secuencia A, sólo
el encuentro de los personajes debiera ser el requisito
argumental para su culminación, lo cual tendría lugar en
el comienzo del Libro VII. Pero esa culminación de A se
prolonga (huida de Lisardo a la montaña) hasta dar cabida, en el Libro VII, a la resolución de C, mediante su
encuentro con Gutierre.

Ahora bien, al funcionar en el plano *b*, como elementos
internos de A y B (secuencias), ese funcionamiento no
difiere, en absoluto, del de los protagonistas de C o D.
Incluso los resortes argumentales son similares. Veamos,
por ejemplo, las motivaciones básicas de A y E, que pro-
vocan, respectivamente, la huida (A) y la locura (E):

1) Lisardo presencia una [aparente] escena de infidelidad.

2) Hiere al supuesto rival, le cree muerto y huye hacia
Valencia, para pasar a Italia.

De análoga manera, y mediante una escena idéntica:

1) Lope presencia una escena de infidelidad.

2) Hiere a su rival, le cree muerto y huye a Italia.

Sólo en el Libro VI se descubre lo aparente de la escena de A, con lo que la solución es el matrimonio. Pero
en el caso de E lo no aparente de esa misma escena provoca la conclusión desdichada.

De parecida manera, las acciones se homologan, igualmente, por su proceso comunicativo: el monólogo retrospectivo (con muy limitadas variaciones), que va interrum-
piendo el tiempo lineal de una narración en tercera persona y que va conectando espacios distintos al general y
cambiante del viaje.

Veámoslo más concretamente:

La secuencia primera (A) se desarrolla en tres momentos narrativos: A_1 = narración de Lisardo (Libro I); A_2 =
narración de Gerarda (Libro VI), y A_3 = acción rela-
tada en tercera persona, en los Libros VII y VIII. A_1 *de-
tiene* el tiempo general de la obra (el transcurrido desde

a salida de Lisardo de Madrid hasta su boda en Barce-
na) y lo hace retroceder, al relatar retrospectivamente
esde el momento, muy anterior, del inicio de sus amo-
es hasta el momento de la narración. Unidos ambos
empos (final de la historia narrada = final del discurso),
rosigue el tiempo lineal de la obra y, junto con él, el
ambio espacial del escenario de la misma.

A_2 = narración de Gerarda se sitúa en un tiempo coe-
áneo a la marcha de Lisardo de Valencia a Barcelona,
na vez que la acción D se separa en espacio de A y B
Libro IV), iniciándose una simultaneidad de doble ac-
ón de la trama general, bifurcada en las secuencias
, B y E por una parte y D por otra. En el relato de Ge-
arda en Argel (A_2) se coincide con A_1, hasta el punto final
e éste, ofreciendo, en síntesis, una segunda perspectiva
e los mismos sucesos [4] y una continuación pormenoriza-
a de los mismos: A_1 (estilo directo) + A_2 (estilo directo)
= síntesis de A_1 + A_2] + A_3 (narración en tercera per-
na).

Así pues, en el tiempo lineal de la obra se introducen
os retrocesos narrativos, correspondientes a la secuen-
a A, que retrotraen el tiempo correspondiente a la tra-
a general (T) a un tiempo anterior: el de la iniciación
e la secuencia (t_1), según la arquetípica utilización de la
eiterada fórmula temporal de los relatos bizantinos. Es
ecir: T = horas transcurridas desde la salida de Lisardo
e Madrid hasta su boda, y t_1 = horas transcurridas desde
a iniciación de sus amores (anterior a T) hasta el final
el relato A_2, a partir del cual el tiempo de la secuencia
el de la trama se fusionan en A_3, eliminando todo re-
roceso.

Por otra parte, el distinto tratamiento de las partes
rimera y segunda de A_2 marca, evidentemente, el con-
encionalismo del proceso comunicativo. Es decir, Gerar-
a ignora que Félix conoce su historia. Pero éste —lo
ismo que el lector— sí la conoce en parte, hasta un
eterminado momento (el del final de la narración A_1,

4. «Acabó aquí la hermosa Gerarda su relación, de la cual había don
andro oído mucha parte al enamorado Lisardo, si bien lo último, por
ué se ausentó él de Madrid, con alguna diferencia...» (ed. cit., p. 254).

muchas páginas atrás). En consecuencia, al autor se l
impone la consciencia, más allá del esquema comunica
tivo expreso, de un receptor ulterior (= lector), a quie
no es pertinente ofrecerle la *verosimilitud* a ultranz
—antiartística e inoperante, dentro del enunciado— d
una repetición minuciosa. Castillo Solórzano, fiel al si
tema del relato en primera persona, utilizado siempre e
su novela para los retrocesos temporales, debe optar po
el recurso de la síntesis, sin diálogo, de los sucesos refe
ridos, si bien desde otra perspectiva. De otro modo hu
biera tenido que adoptar el mucho más flexible de Cer
vantes (cuya historia del Cautivo deja aquí su impront
argumental) cuando se le ofrece una análoga situació
de técnica narrativa.[5]

En ambos relatos (A_1 y A_2) el emisor de los mismo
(narrador-actante) transmite, pues, un mensaje a un re
ceptor o receptores inmersos en el universo representad
que cumplen, a la vez que receptores, la personal funció
de narradores-actantes de su propia secuencia.

Así, Félix (receptor de A_1) y Leandro (receptor de A_2
son, respectivamente, narrador-actante de B (lo será e
el Libro II) y narrador-actante de D (lo ha sido en e
Libro IV). Y, como tales, funcionan análogamente en ca
lidad de protagonistas y transmisores de sus historia
respectivas.

En cuatro de las cinco acciones el esquema comunica
tivo se repite: el protagonista de las mismas *comunic*
a los otros personajes[6] la *totalidad* o *una parte* de lo

5. Recordemos un caso similar —tan superior— de perspectivism
existente en los relatos de Cardenio y Dorotea en el *Quijote* (I, 28),
cómo el relato general de Cardenio se dirige a dos receptores distintos
don Quijote y Sancho hasta su mitad, en el cap. 24, y *completo*
Cura y al Barbero, en el 27. Pero Cervantes, consciente de la prev
lencia de ese receptor ulterior aludido (a quien se dirige desde s
voz de narrador omnisciente), sustituye esa primera parte ya conocid
por una referencia directa a lo ya narrado: «... y con esto, el trist
caballero comenzó su lastimera historia, casi por las mismas palabra
y pasos que la había contado a don Quijote... y así, llegando al paso de
billete que había hallado don Fernando en el libro del *Amadís de Gau
la*, dijo Cardenio que le tenía bien en la memoria, y que decía de est
manera», y pasa a continuación al estilo directo en el relato.
6. La circunstancia de la locura de Lope desplaza el relato haci
Lorenzo.

ucesos que han producido las circunstancias espaciales,
emporales y argumentales de su encuentro (por azar)
on ellos. Detallar, lo mismo que en A, el esquema de la
omunicación total de los sucesos, en su doble cronología
hasta el Libro IV y desde el Libro V), supondría una
innecesaria amplificación de este apartado (como ejem-
lo tipificado de narración cortesana). Pero sería también
ijusto con el autor del *Lisardo* vincularlo únicamente al
nterior esquema, tan pobre de recursos narrativos. No
lvidemos que el funcionamiento de Lisardo como nexo
e unión de un conjunto condiciona fuertemente su ac-
uación dentro de su secuencia propia. Lo mismo ocurre
on la historia B, que se vincula como nexo a A desde
l Libro II, y que acusa, desde entonces, análoga simpli-
idad comunicativa.

Pero aquellas acciones que no funcionan como nexo,
que, por tanto, se desconectan del aglutinador viaje
n común en un punto del mismo, se han tratado con
ayor complicación comunicativa, mediante la inclusión
e partes del relato puestas en boca de diversos narrado-
es-testigos o la presentación de indicios o señales en la
rama general, que *preparan* la secuencia siguiente.[7]

Cuando Lisardo y Félix (A y B) tienen la primera no-
icia —y con ellos el lector— de una nueva acción (C),
o es por el relato en primera persona del principal ac-
ante del mismo, Gutierre, sino por el aviso (en boca de
n desconocido) de un duelo en lugar próximo, que
egan a presenciar, como ya he indicado. Aquí el relato
a medias res —según modelos universales que Heliodoro
odificó para el Renacimiento— elige un momento culmi-
ante y *misterioso* para comenzar: el protagonista no
uede explicar su situación a causa de sus heridas. Pero
l llegar a la venta, el ventero —narrador-testigo— cuen-
a a Félix y Lisardo *una parte* de la historia: lo ocurrido
n su venta *antes* del duelo y *después* del duelo. Es de-

---

7. Por ejemplo, una misteriosa conversación, de noche, en una venta
pp. 175-176); el hallazgo de un rocín sin dueño, a la mañana siguiente,
urante el proseguido viaje (p. 177); la lectura de dos cartas halladas
n las mochilas del caballo, cuyo contenido se transcribe (p. 178), son
es indicios o señales que preceden a la historia de Leandro (D), a
uien encuentran herido a continuación.

cir: un episodio coetáneo al viaje de A y B (en dirección
fortuita al lugar próximo al duelo), pero anterior, po
tanto, a su encuentro con C, y otro episodio posterior
ese encuentro y coetáneo al corto e intencionado viaje d
A y B (llevando al herido) hacia la posada. En dich
relato se aclaran las *circunstancias* de las heridas de Gu
tierre y su dama, doña Andrea, pero no sus *motivacio*
nes. Cuando la marcha lineal de la obra prosigue y Gu
tierre se recupera, relata su historia *hasta el momento*
de su llegada a la posada, con lo que su relato conect
con la primera parte del del ventero; ésta, con lo presen
ciado por Lisardo y Félix, y esa noticia *vista*, con lo rela
tado por el posadero (segundo episodio). Una vez muerta
la dama y separado Gutierre de A y B, su historia n
reaparece hasta el Libro V, en donde, para la comunica
ción de su desenlace, el esquema anterior casi se repite
un narrador-testigo (un pastor) refiere el episodio de l
llegada del caballero a Monserrat y su conversión en E
mitaño. Tras este relato, y después del encuentro con Li
sardo, Gutierre le relata su historia desde su separación
hasta su llegada a Monserrat. Así pues:

Libro III = C_1 [narración en tercera persona; dentr
del tiempo lineal de la obra (T)] + C_2 [relato de un na
rrador-testigo; tiempo (t_2) anterior al contacto de A y
con C, pero dentro de T = primer episodio + tiempo (t_3
posterior al contacto de A y B con C y simultáneo a l
acción de éstos desde C_1 = segundo episodio] + C_3 [relat
retrospectivo del narrador-actante; tiempo (t_1) anterio
a T, hasta conectar con t_2] + C_4 [narración en tercera per
sona; fusión temporal con T].

Libro V = C_5 [narración de un narrador-testigo; tiem
po simultáneo a T, pero retrospectivo desde el punto tem
poral del acto de enunciación; comunica las *circunstan*
cias de la vida eremítica de Gutierre] + C_6 [relato del na
rrador-actante; enlaza el tiempo de la narración desde C
hasta el momento de la enunciación; el lector, junto co
Lisardo, conoce, además de las circunstancias, las *moti*
vaciones de aquéllas]. Finaliza la secuencia.

En las dos partes se trata, en consecuencia, de una *anti*
cipación del final de los dos relatos retrospectivos del ac
tante básico, por medio de una comunicación *incompleta*:

del testigo que conoce sólo los hechos presenciados, ero no las causas que condujeron a ellos. En definitiva, n recurso de captación del interés del lector (receptor ediato), que busca o espera (con Lisardo o Félix, recep- res inmediatos) conocer el desarrollo de una intriga uyo final *externo* conoce. No sólo basta el hallazgo del adáver de la novela policíaca: el conocimiento de las ausas —motivaciones— de ese crimen es la consecuencia e aquella captación del interés inicial.

Cualquier innovación en los esquemas de comunicación o constituye, evidentemente, sino una variación en or- en a un engarce de historias relatadas a lo largo de un empo y espacio comunes y fluyentes. El hecho de que, n una gran proporción, son historias retrospectivas al empo inicial de la obra y narradas por sus protagonis- as determina su carácter de secuencias interrumpidas, uya resolución comienza en la segunda mitad de la no- ela, precisamente cuando se marca un cambio de orien- ación (Valencia → Monserrat) en el núcleo de convergen- ia. Pero no busquemos en el nexo de unión de una con tra secuencia una coherente lógica. B sucede a A y se elaciona con ella en un funcionamiento paralelo, una ez que se inserta en un espacio y tiempo comunes. Pero no determina a B.

Sin embargo, dentro de A, o B, o C, etc., es decir, den- ro de cada historia, las motivaciones de la misma sí res- onden a un entramado de relaciones causales, que los squemas narrativos de cada una han manifestado. Ele- ar esa causalidad a la estructura total del sistema y *coor- inar* dentro de él las unidades era tarea para la que un ovelista casi «de oficio», como Castillo Solórzano, no staba, desde luego, capacitado. El intento fue afrontado or algún otro novelista preocupado, como Cervantes —teoría y praxis—, por la problemática del arte de na- rar. Veamos esa concepción y esa no menos nueva rea- zación a través de los *Cigarrales* de Tirso de Molina.

IV, 2. Cuando las unidades en coordinación funcionen omo parte integrante de la trama, creo que tendremos ue admitir una nueva estructura dentro del sistema de novela cortesana: un marco constituido por una na-

rración de estructura sintagmática, que se abre en otra
unidades relacionadas coordinativamente con él; pero e
donde esa narración se cierra antes de generar las nue
vas unidades, constituyéndose ese cierre, a su vez, e
motivo generador de las mismas. Creo que puede se
ésta la sintética definición, en lo formal, de los *Cigarrale*
tirsistas,[8] con sus «seis elementos básicos», constituid
el primero por «la narración eje o más bien narració
base, de la que arrancan como ramas las otras cinc
unidades».[9]

No para *enmarcar*, sino para *generar* esas cinco unida
des (B_1, B_2, B_3, B_4 y B_5), Tirso ha montado su *argument*
(A) sobre un entramado de relaciones causales, no com
la vida las produce, sino como el artificio novelesco la
puede sustentar: «¡Y qué estraños son los sucesos dest
vida! Notable cosa es que, siendo los casos contingente
de suyo tan disparatados, se eslabonen algunas veces d
modo que más parecen efectos de causas concertada
que accidentales y sin orden...»[10] Ese entramado de *cau
sas concertadas* sustituye al *motivo* de obras coetáneas
Porque aquí ese motivo está expreso desde las primera
líneas: la selecta juventud toledana reunida en torno a l
boda de Irene y don Alejo. Incluso se da una *señal* de es
reunión *ya* constituida, en las primeras líneas: Toledo
en la noche, resplandeciente de luces y música, ante lo
asombrados ojos de un toledano, don Juan de Salced
(«que así se llamaba el caballero»),[11] que regresa a su pa

---

8. *Los Cigarrales de Toledo* han sido objeto de un extenso y minu
cioso estudio de carácter formal por Isabel Ruiz Apilánez, *Análisis lite
rario de «Los Cigarrales de Toledo»* (memoria de licenciatura, Univer
sidad Complutense, Madrid, 1972), en donde, siguiendo la línea del ne
formalismo francés de T. Todorov, se desglosan las relaciones lógicas
espaciales, locativas y temporales que forman el entramado de las uni
dades de la obra. En cuanto al contenido, fuentes, trasfondo real y as
pectos sociales de los *Cigarrales*, han sido exhaustivamente analizado
por André Nougué en las pp. 25-202 de *L'œuvre en prose de Tirso d
Molina* (imprescindible base para todo posterior estudio de la narrativ
de Tirso). Sobre los *Cigarrales* monta, además, generalmente el auto
las deducciones de su tercera parte: *L'art de Tirso. Théories et réalisa
tions* (pp. 347-464).

9. I. Ruiz Apilánez, ob. cit., fol. 11.
10. Ed. cit., p. 86. La cita está en boca del narrador-actante, Juan d
Salcedo.
11. Ed. cit., p. 24.

ria después de tres años de ausencia. Pero la llegada de
on Juan coincide con el punto *final* de una subunidad
arrativa de A: la historia de Irene y don Alejo (a_2), y
on el punto *central* de la que se relaciona con ella, es
ecir, la historia de Serafina y don García (a_3). Ambas, de
cción coetánea, se fusionan e interdeterminan, porque
n torno a Irene se ha tejido un simple esquema de afec-
iones encontradas, desarrollado a partir de dos episo-
ios determinantes (encuentro don García-Irene y encuen-
ro Serafina-don García), cuyas circunstancias narran en
us dos etapas y desde su propia perspectiva don García
Serafina, respectivamente, constituyendo cada relato
na acción independiente:

a_3

Serafina → don García   Irene ←→ don Alejo

a_2

El punto central en que comienza la acción narrativa
eneral coincide con la solución de a_2 y con la aparente
mposibilidad de cierre de a_3. Pero la llegada de don
uan motivará (por su ascendiente sobre su amigo, que
tiliza en la coyuntura favorable del anuncio de la boda
orzada de Serafina con otro galán) la solución de a_3, me-
iante el cambio de dirección sentimental de don García,
ue aboca a un segundo matrimonio: el de Serafina y él.
Pero el propio don Juan está dentro del entramado.
orque no se sitúa, como la maga Felicia en *La Diana* o
rganda en *Amadís*, sobre unos personajes a los que di-
ge, sino que su función integradora (es el receptor de
s narraciones de Serafina y don García) o determina-
va (solución de a_3) se desarrolla paralela a la solución
e su propia historia (a_1): su boda con Lísida. Será pre-
samente ante las tres bodas cuando se declara el mo-
vo boccacciano: la reunión de invitados en distintos
garrales, huyendo del calor toledano, para deleitarse
a gustosos entretenimientos. Y la narración base (A),
errada su trama argumental en las tres bodas, se trans-
orma en un marco narrativo sin trama (A_1), dividido en
nco unidades, a modo de secuencias tempoespaciales:

pausa intemporal y lugares distintos, dividiendo cada
Cigarral.

Sin embargo, a ese marco narrativo se van fusionando
los elementos de las cinco unidades, en distinta grada
ción. Los menos integrados son, naturalmente, las tre
comedias intercaladas, cuyo intento de fusión se marca
mediante el diálogo teórico en defensa de la *comedia*
al final de la representación de *El vergonzoso en palacio*

Porque la narración de la única novela inserta, como
subunidad independiente,[12] si bien se presenta como eco
directo de modalidades genéricas, formalmente se un
al común procedimiento de la narración aislada dentr
de un contexto sintagmático, peculiar de la época er
casi todos sus géneros novelescos.

Ahora bien, en el *Cigarral tercero* se subsumen todo
los elementos en una narración, eje central de las cinco
unidades. Y esta narración, en boca de don Juan y Dio
nisia, se integra en A_1 y deriva directamente de A.

Se trata del segundo relato de don Juan, la continua
ción de esa historia cuya primera parte narró a do
García, y que en su primera etapa sería meramente
funcional y subordinada a a_2 y a_3, si en medio de l
causa de su *ausencia* (primera parte de su relato) y s
regreso (solución sin desarrollo argumental) no media
sen unas aventuras que generan una unidad narrativ
coordinada: el *Cigarral tercero*, constituido por la se
gunda parte de su relato (ausencia). Así pues, a_1 es *caus*
determinante básica de B_3, al tiempo que actúa, dentr
de A, como elemento funcional subordinativo de a_3 (véas
el esquema de la página siguiente).

Para que la integración de B_3 con A y A_1 se refuerc
incluso en sus subunidades, los personajes de éstas *as*
cienden hasta A_1. Dionisia ha entrado en la reunión a
final del *Cigarral segundo* (B_2), y será ella quien relat
la segunda etapa de su historia (cuando ya ésta se h
desengarzado de $b_{3.1}$ y $b_{3.2}$), que queda inconclusa hast
el *Cigarral cuarto* (B_4), con la llegada de don Dalma
Y, cerrando los *Cigarrales*, entra en el marco narrativ

---

12. *Los tres maridos burlados*, en el *Cigarral quinto*, en boca de do
Melchor.

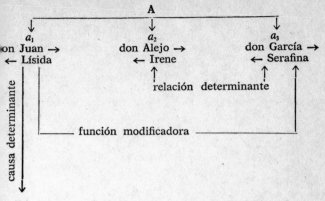

$B_3 \rightarrow b_{3.1}$ = relato de las aventuras de don Juan

$\downarrow$

$b_{3.2}$ = historia de Marco Antonio y Estela

$\downarrow$

$b_{3.3}$ = historia de Dionisia y don Dalmao

antiguo criado de don Juan (coprotagonista de $b_{3.1}$), on la noticia de que llegan tras él Marco Antonio y arcerán ($b_{3.2}$). Las tres subunidades de B_3 se han incorporado, mediante su integración en el marco, a la coría tirsista: un «argumento que lo comprehenda do». Aunque también las *partes* narrativas puedan integrarse en un *todo* sin un argumento comprensivo. uscar las *causas concertadas* más allá de sus nexos ormales. Y montar sobre el mensaje de la obra, sobre a función comunicativa a nivel social, el eje de unión e los eslabones. Para ello Tirso fundirá el *aprovechamiento* del género a una problemática moral y religiosa. l *modelo* se desprende de su practicidad originaria, ara elevarse a módulo contrarreformista del vivir. Pero n abandonar el *deleite* que ya preconizaban (y por nálogas razones psicológicas) los viejos autores de *exenlos* en los preámbulos que los precedían.

V. LAS «CAUSAS CONCERTADAS» DE LA NARRACIÓN

V, 1. Reiteradamente he venido indicando cómo en
a estructura interna de los relatos, es decir, en las no-
elas independientes (como en las secuencias o accio-
es completas de una estructura coordinativa), los auto-
es se esfuerzan por conseguir una coherencia causal
e los episodios. Y cómo esa coherencia no es homolo-
able a verosimilitud. Será, por tanto, un curioso aná-
sis el que desarrolle los procedimientos de un autor
la búsqueda de esa coherencia, partiendo de unos ori-
inales (a los que tiene la obligación ética de sujetarse,
or el carácter religioso de la temática), pero que care-
en fundamentalmente de ese principio de causalidad,
no en lo esencial (puede existir un núcleo generativo
ásico), sí en el desarrollo de la trama. A este respecto,
sisto, es revelador el análisis de las unidades narrati-
as del *Deleitar aprovechando* tirsista, cuya estructura
eneral analizo en VI, 2.

Como ha estudiado Nougué, bien poco añade Tirso,
1 orden al argumento, sobre las fuentes utilizadas, en
s dos primeras novelas de la obra. *La Patrona de las
lusas* es una acción casi lineal, siguiendo el seco relato
e la traducción latina de un texto atribuido a san Ba-
lio.[1] Sin embargo, las variaciones introducidas creo
ue son realmente significativas, ya que, lejos de cons-
tuir añadidos inoperantes, todas ellas están al servicio
e una mayor *coherencia causal* de la trama o subordi-
adas a encuadrar psicológicamente el misticismo de la
eroína.

El alejamiento mayor del relato hagiográfico, Tirso
realiza en la primera parte de la obra: la *preparación*

1. *Basilii / Seleuciae in Isauria / Episcopi / De Vita ac Miraculis
Theclae / Virginis Martyris Iconiensis*, Libri duo, en edición bilingüe
ecolatina, cuya versión en latín fue realizada por Pedro Pantino [Bru-
las], 1608. En cuanto a *La Patrona de las Musas*, sigue fundamental-
ente la *Recognitionum*, apócrifo griego atribuido a san Clemente, que,
traducción latina de Rufino Torano, apareció en Basilea en 1526. Exis-
un ejemplar en la Biblioteca de la Universidad de Zaragoza, con la
xpurgación» obligada de la Inquisición, manuscrita y fechada en 1613.

de Tecla, o el camino hacia el hallazgo de la verdad,
través de las palabras de san Pablo. Tecla (lo indico e
VI, 2, 3) está destinada a ser la virgen «por Cristo
Pero, para constituirse en modelo, al autor no le bast
la renuncia a una posición social, a un matrimonio h
norable y dentro del respeto y conveniencia de una c
munidad. Tamíride, el prometido oficial, y Teoclea, l
propia madre, son aborrecibles, tanto en el texto gr
colatino como en la novela. El *rechazo* de Tecla es no
mal. Pero también es normal que la dama de novela
comedia cortesana, si bien huye del matrimonio impue
to, lo hace por un auténtico amor. Y entonces Tirs
contrapone hábilmente dos vías amorosas: el discret
amable, apasionado y encantador Alejandro de esa pr
mera parte, como símbolo del amor humano, con tod
su sensualismo, su belleza, su encanto y su aventura,
Tamíride, el matrimonio dentro de un orden social e
tablecido.

Un mundo de *seducción* (no ilícito) que se opone a ot
seducción: la que llega a través de *una voz*, que le hab
de otro amor más puro, más total, en el que Tecla, p
vez primera en su vida, se siente arder emocionada. I
evidente frialdad amorosa de Tecla es, psicológicament
explicable ante Tamíride, pero para que sea explicab
también ante Alejandro (sin recurrir a ninguna explic
ción psicoanalítica) introduce Tirso un retroceso, con
fin de que se produzcan como coetáneas dos accione
el escuchar a Pablo y el rechazar a Alejandro.

Hasta el hallazgo de la vía mística, Tecla ha sido pr
sentada desde tres perspectivas y antes de comenzar
acción. Primero, la doncella hermosísima capaz de de
pertar una pasión amorosa repentina. Así, la narració
(en tercera persona) de las fiestas de Adonis enmar
una heroína vista por Alejandro. La fábula mitológi
escuchada es un acicate más dirigido a los sentidos d
galán forastero, hasta funcionar en el contexto con
causa de su pasión: ni los propios dioses pueden esc
par a la tiranía de Eros. Todo en el ambiente invita
amor. Un amor que penetra por los sentidos, especia
mente por la vista. «Amor es un deseo de belleza», habí
repetido filósofos y poetas durante siglos de neoplat

mo. Y Alejandro percibe por los ojos una belleza, *dor-da* (lo está Tecla), que ya no se separará jamás de su cina y le producirá la locura al final en la narración. ro frente al amor detenido en la envoltura carnal, que puede percibir el espíritu a través de la mirada (que ojos de Tecla, *cerrados*, no transmiten), se opondrá perfecto amar «de oídas», en que la virgen se enamo- de *una voz*, y en donde toda percepción sensorial se blimiza. De ahí esa *necesaria* (y muy bella) digresión sista sobre el poder amoroso de la voz y la supre- cía del amor que penetra por ella, que concluye:

> De modo que entrando amor por los oídos y la sen-
> sualidad por los ojos, tanta más ventaja llevan aqué-
> llos a ésta, cuanto va del alma al cuerpo.[2]

En *consecuencia*, Tecla elegirá ese perfecto amor, uesto al apasionado sensualismo que le brinda Alejan- o, como una no expresada contestación al soneto ini- l, que abre la novela incitando al placer. Al *Collige, go, rosa*, la virgen cristiana opone la nunca marchita rmosura de su Amante celestial.

Ahora bien, esa elección se *posibilita* antes psicológica- nte. Por ello no basta la presentación de Tecla en- arcada en el hedonismo paganizante de la *Fábula de rra, Venus y Adonis* y del sensualismo amoroso de ejandro. En las primeras páginas, Tecla es descrita sde fuera de ella misma y la percibimos a través de la presión sensorial que su belleza *física* ha provocado Alejandro. Una segunda presentación nos hace pe- trar en su belleza *intelectual*. Para ello Tirso se vale las palabras de un testigo, Cloriseno, el confidente l galán, pero no forastero como éste: Tecla es un odigio de sabiduría. Su inteligencia y cultura están a altura de su belleza. Ahora bien, queda una tercera más importante presentación: la muchacha es po- edora de una rara belleza *moral*. Pero para ese tercer cuentro el autor (narrador omnisciente más que nunca)

. Cito siempre por la edición príncipe, Madrid, 1635. Sin embargo, la frecuencia de la cita, no consigno la foliación, o la indico en el to mismo. Modernizo la ortografía.

ha de penetrar en el personaje, con el fin de revelarnos s
secreto: el culto a la virginidad, como extraño porten
en una doncella pagana. De ese *secreto* el autor nos h
dado ya indicios en las dos presentaciones anteriores: T
cla no va gustosa a las fiestas de Adonis, que repugna
a su honestidad (lo cual no indica aún su culto a la vi
ginidad). Después, la afirmación de Cloriseno: la do
cella huye de consagrarse a Venus para hacerlo, quiz
a Diana y, sobre todo, a Minerva. Es la explicación *lógic*
Pero los indicios primeros, en el plano sensitivo, y el s
gundo, en el intelectual, actúan como preparación de e
tercer encuentro del lector con la protagonista, des
dentro, comunicando (siempre en tercera persona, en
voz del narrador) sus inquietudes y sus anhelos de p
reza.

Las tres presentaciones preceden a la acción misn
de la novela, que comienza desarrollada en dos punto
los intentos de Alejandro para obtener el amor de Tec
más los intentos de Tamíride para apresurar su bod
Ambas acciones, como era lógico, llegan a un punto o
convergencia: un encuentro de los dos galanes y un di
logo en que cada uno mantiene su punto de vista. Pe
a esa doble vinculación sentimental (matrimonio y deb
o Tamíride, y amor y aventura, o Alejandro) la protag
nista ha ido oponiendo una tercera acción, que tambi
converge en análogo punto, en que el diálogo se interru
pe por un aviso de Teoclea: la doncella ha elegido
tercer amor, Cristo, a través de las palabras de Pabl
Entonces el autor *retrocede* narrativamente a esa terce
presentación, causa psicológica determinante de la co
versión, para narrar la tercera y opositiva acción: el co
tacto auditivo de Tecla y san Pablo, coetáneo a las a
ciones anteriores. Los elementos argumentales añadid
a la fuente ya han terminado su función causal. Teo
sigue a Pablo (vía mística) abandonando el amor de l
sentidos (Alejandro) y los preceptos sociales (Tamírid
Por ello Teoclea y su pregunto yerno pueden abandon
su carácter inicial para pasar a constituirse en los a
quetipos que son en la fuente latina, como meros per
cutores de la posible mártir. El cambio psicológico *ne*
sita, sin embargo, una explicación. Y Tirso introduce pa

amíride una digresión teórica sobre el poder avasalla-
or de los celos, que anulan la razón del individuo. (Aun-
ue se olvide de justificar en Teoclea el paso de madre
amante a furia increíble de ira y rencor.)

Con la salida de Iconio de Tecla comienza una narra-
ión fiel a la fuente en sus detalles esenciales. Pero, en
odo caso, procurando que sus episodios sean ese pro-
ucto de *causas concertadas* a que aspiraba Tirso en la
ovela. Así, puede justificarse la absurda agresión del
obernador de Antioquía, lanzándose loco de amor so-
re una desconocida viajera que entra por las puertas de
a ciudad, *vestida de hombre*, si previamente ese gober-
ador ha actuado en la novela como galán enamorado.
odavía en este punto el relato hagiográfico cede un pun-
o a la novela cortesana de las primeras páginas. Porque
l entusiasmo amoroso de Alejandro es el *lógico* de un
alán que cree muerta a su dama y la ve aparecer. Aun-
ue la reacción de la protagonista sea aquí fiel a la fuente,
o al desarrollo argumental trazado. Porque lo que Tecla
echaza no es el incontenible estallido de alegría y amor
e Alejandro (= personaje tirsista), sino el ataque luju-
ioso de un Alejandro *nuevo* psicológicamente en la tra-
a. Como es *nuevo* y raro en el sensible (e inventado)
namorado de la trama cortesana del comienzo el deseo
e venganza de su actuación final. Tirso ha *explicado*,
niendo en uno los dos personajes, una reacción que es
ausa del segundo intento de martirio de Tecla. La trama
rgumental es así *coherente*. Pero lo que no puede lograr,
ntonces, es coherencia en el personaje.

Tirso, desde luego, busca intencionadamente, con esas
ariaciones, una motivación lógica de la trama y del per-
onaje central. Aunque los demás, en función absoluta-
ente subordinada, se le quiebren entonces como enti-
ades coherentes en sí. Pero, insisto, todos ellos, como la
ama que desarrolla y las digresiones que la detienen,
aminan en una única dirección: el misticismo de la
rotagonista. Por ello, de una manera continua, la prosa
e la narración va fragmentándose por el inciso de textos
oéticos, que siempre *realzan* un estado anímico de exal-
ción.

Salvo la inicial fábula mitológica (como símbolo del

hedonismo y erotismo paganizante que debe vencer Tecl
en Alejandro) y la carta amorosa en verso (recurso típ
camente cortesano), los demás poemas insertos son e
presión de una exaltación personal: el dolor («¿A dónc
te ensoberbeces, / gigante voraz, que subes / trepand
llamas por llamas?»), en la triste despedida de Alejandro
la ira, cuando, «desatinado de todo punto», lanza su
acusaciones («¿Vosotros sois los que en Asia...?»); el ans
de placer que anida en el soneto inicial. Pero, frente
esa poesía de exaltación erótica-profana, Tecla va subie
do por la escalera de la mística, apoyada en sus cant(
de amor divino. «El cantar es propio de los que aman
escribió san Agustín, y en el vuelo del espíritu de la mú
ca y el poema el místico expresa inconteniblemente
afecto amoroso que le mueve.[3] Tirso lo recalca en el te
to: «Porque el amor y la poesía son tan deudos, que p(
milagro saben hacer cosa de provecho el uno sin
otro...» Por ello Tecla, «toda fuera de sí, porque esta!
toda dentro de su amante», cantó, «sin reparar que ca
taba», ese movimiento nuevo de su alma que aún n
acierta a explicarse, porque aún no ha llegado a la unic
esperada con el Amado:

> Piélagos de inmensidades
> ni navegados ni vistos,
> de la tierra me remontan,
> agua y cielo solos miro...
> ....
> mi piloto lloro ausente,
> sin norte temo peligros...

Como Ninfa, la burlada criatura tirsista, que ascend
desde el pecado hasta el amor divino,[4] Tecla comienza
deambular humano por los senderos de las etapas de
ascensión mística. Pero, por la voz de san Pablo, se leva
ta desde su pureza inicial, no desde la caída (como tant
heroínas teatrales de Tirso). La virgen de Iconio no ce

3. Cfr. E. Orozco, *Poesía y mística*, Madrid, Guadarrama, 1959.
4. El análisis de *La Ninfa del Cielo*, como expresión simbólica de
ascensión mística hasta la unión con Dios, la realicé, brevemente,
mi *Estudio preliminar* a *Obras de Tirso de Molina*, B.A.E., CCXXX
Madrid, 1970, pp. XLI-XLV.

encanto de un amor sensual, como cedió Ninfa ante
s palabras del duque de Calabria, ni hay lucha anímica
.evia. Su fuerte valor modélico se asienta en su *total*
ección amorosa. En consecuencia, la subida será rápi-
, y Cristo, «ya su esposo», se le aparece «risueño» des-
: el fondo de las llamas del martirio, y mientras la vir-
:n se lanza a ellas son los propios coros angélicos los
ie unen sus voces a la suya. Ya puede Tecla, desde en-
nces, cantar «toda festiva» (a los pies de san Pablo) y
municar esa alegría exultante cercada de los peligros
el martirio («El amar que no hace excesos, / mi Dios,
) se llama amor»), hasta poder terminar, «cisne cándi-
), fénix amoroso, pájaro celeste», tributando alabanzas
Creador y estudiando la suprema ciencia de la contem-
ación divina.

La poesía tiene, pues, en *La Patrona de las Musas* una
ara intención significativa: *apoyar* una exaltación pa-
onal, al expresarse los personajes en el vehículo *normal*
: esa exaltación. Si se identifica amante = poeta, sólo
i verso podrán expresar Alejandro y Tecla su estado
iímico en los momentos cumbres, lo mismo que lo hará
:dro Armengol, en *El Bandolero*, en «éxtasis de amor»
:ente a una imagen de la Virgen, «todo en ella y fuera
: sí mismo», o embebido en su pasión terrena, desaho-
indo en la soledad del alba su melancolía, hasta no
:rcibir la emboscada que le conducirá al cadalso. El
Dema es así análogo a un desahogo vivencial, que *sólo*
iede transmitirse en su *adecuada* forma de comuni-
.ción.

En *Los triunfos de la verdad* la inserción de poesías
)mienza bajo la misma teoría y ejerciendo análoga fun-
ón cualificadora de exaltación pasional. Naturalmente
ie la declaración amorosa a Matidia por parte de Fla-
o ha de ser en verso, ya que en el episodio se conjugan
)s elementos: la situación emocional y el deseo de *pro-
)car* análogo sentimiento en su oyente, esto es, en Ma-
dia. En cuanto a los dos monólogos líricos, el de Flavio
el de Fausto, enlazan con la función expresiva de los
)emas en la narración anterior. La despedida de Fausto
su familia, que parte hacia Grecia, enlaza claramente
)n el poema de Alejandro al alejarse de Iconio. Flavio

se dirige al mar, que le arrebata a Matidia, como Aleja
dro al fuego que se presume que va a consumir a Tecl
No son monólogos introspectivos, sino desahogos emoci
nales dirigidos a la causa física de su desesperación am
rosa. De nuevo se advierte al lector que la expresión po
tica es la natural de una exaltación amorosa. Por e
Flavio, en la soledad de su quinta, vuelve a expresar
melancolía en verso, «perdida la principal potencia», es
es, sin el discurso de la razón, a causa del fuego amoros
Siguiendo la teoría de identificación de amante = poet
Flavio ha de dirigir sus lamentos a la naturaleza que
rodea, con «voz desentonada», pero en verso.

Sin embargo, de acuerdo con esa identificación, q
convierte a la poesía en vehículo comunicativo de te
siones emocionales, o de mensajes divinos,[5] el monólog
introspectivo debiera aparecer en prosa. Y así apare
el de Matidia, *reflexionando* sobre su situación. Pero *L*
triunfos de la verdad no es, en absoluto, una obra de te
sión amorosa. La casta historia de Fausto y Matidia es
modelo de amor conyugal en donde, curiosamente, l
acentos apasionados estarán en boca de un personaje
famante, como es Flavio (al menos en la primera part
De ahí que se extreme la nota de furor y locura, de «c
sesperación frenética», que mueve al personaje, que
nera la *necesidad* de su expresión poética.

Pero el verso puede cumplir otra función expresiva
aligerar, mediante la sonoridad de la forma, el *fastid*
de un tema demasiado intelectual, o *suavizar*, de análo
modo, el prosaísmo de una historia. Para ello Tirso tie
ante sí modelos teatrales que le son absolutamente fan
liares: el monólogo introspectivo, en que el persona
analiza ante sí y ante los espectadores la motivación
su conducta, sus dudas, su intimidad, en definitiva. Y un
largas *relaciones*, en donde el auditorio sigue sin cansa
cio una narración escueta, porque lo *prosístico* del co
tenido se enmascara en la habilidad versificadora del a
tor de la comedia. Son dos elementos igualmente *inf*
mativos que no precisan de alardes de estilo.

5. En verso se comunica el alma de Falconila con Triphena, en
Patrona de las Musas, y en verso finge Matidia que se ha dirigido a
la diosa Vesta.

Así, Clemente, «filosofándose a sí mismo», expondrá en erso sus inquietudes intelectuales. Tras su monólogo, quila, en la misma línea teatral, relatará una vida, al odo de una *relación* escénica. Ambos, como preludio e la entrada total del elemento teatral con los siguientes oloquios dramáticos, auténticamente representados ante auditorio de *Deleitar*. Ni los Coloquios, ni los monólo- os mencionados creo que son poemas intercalados. Son, implemente, un resorte comunicativo de ascendencia tea- ral, que confiere al verso la cualidad de mantener la ención de un auditorio.

Por el contrario, cuando al final de la novela se trans- riben los Himnos y Epitalamios cantados en torno al epulcro de Clemente, la *insinuada* fórmula teatral se erde, *narrando* don Francisco una escena que *pide* su isposición teatral. Pero el *intelectualismo* del mensaje idáctico de la obra ahoga esta posibilidad. Los poemas ótico-profanos de la primera parte se cierran en esta tima manifestación de lirismo amoroso a lo divino, ero encuadrando, y destacando, por tanto, un centro e poesía didáctico-teatral, donde toda exaltación desa- arece.

Y, sin embargo, pese al prosaísmo y evidente falta e interés de la obra, los *diálogos* teatrales, con su carga e didactismo teológico, son, dentro de ésta, absoluta- ente necesarios. Creo que tan necesarios como el mar- rio en Tecla o el cadalso infamante en Pedro Armengol. os tres episodios se manifiestan dentro de la *causalidad* e las obras, como la consecuencia *intermedia* del núcleo nerativo de su desarrollo argumental, que desembocará el *efecto último* de las causas concertadas: la vida ntemplativa en Tecla; la santidad por el martirio en dro y el papado en Clemente. Así, la aparente frialdad norosa de Tecla (concretada en un anhelo de virgini- d, origen de la trama) tras su encuentro con Pablo al- nza su sublimación mística en la aceptación de una uerte por amor. Pedro, subiendo al cadalso, realiza último acto de la serie de episodios enlazados que nen su origen en el horóscopo que preside su naci- iento. Y Clemente, llamado a ser el nexo de unión de cuatro acciones de la trama en que interviene, ha

iniciado el viaje que conducirá a esa unión, «porque le
ejecutaba el apetito generoso de la inmortalidad». Esa
ansia de inmortalidad es, psíquicamente —como el amor
a la virginidad de Tecla—, el núcleo generativo de toda
la acción narrativa, subordinada al ejemplo providen-
cial de su existencia. Y lo significativo de ese núcleo se
manifiesta desde la primera parte de la fuente latina,
donde la «inmortalitatis cupido» que le mueve está des-
tacada en mayúsculas dentro del texto (y con glosa al
margen), como un aldabonazo o llamada de atención a
nivel gráfico. Clemente comienza siendo un sensitivo intelectual pagano y, tras el encuentro con Pedro, asciende
a la categoría de intelectual cristiano: su integración
total en un dogma debe revestir, por tanto, el carácter
intelectualista de la disputa filosófica. Y, conectando con
el impulso generador, la polémica de Pedro y Simón
Mago gira en torno a la demostración de la inmortalidad del alma. En ese primer diálogo dramático Clemente
es aún espectador, pero en el segundo actúa junto a sus
hermanos y san Pedro, ya como ejemplo viviente de la
imposibilidad de solución de una ciencia sin fe (incapaz
de hallar la verdad), encarnada en la figura del «viejo
filósofo» desengañado, el no conocido Fausto.

Pero como Tirso insinuará, aludiendo a Pedro Armengol, los *rodeos* de que se sirve la Providencia parecen
fuera de razón, hasta aparentar sucesos presididos por
la casualidad o el azar. Y el azar, efectivamente, preside
la trama argumental de la obra, fiel en este punto a la
fuente utilizada: clásico relato hagiográfico escrito dentro de los esquemas de la novela griega. En este punto
la narración tirsista no es sino una versión más de las
difundidas *Clementinas* y sigue los resortes ya utilizados
en la literatura castellana en el *Caballero Cifar*, vir-
tiendo a moldes caballerescos la historia novelada de
san Plácido.

De acuerdo, por tanto, con el sistema narrativo de la
novela griega, la historia de san Clemente se monta, argumentalmente, sobre una separación familiar ocasional
pero duradera, con la consabida agnagórisis final. Puede
variar el *motivo* de esa separación (aquí el incestuoso
amor de Flavio hacia Matidia), pero inmediatamente la

ausas se transforman en motivaciones casuales: naufra-
ios, piratería, salvamentos fortuitos y encuentros por
zar. Elementos arquetípicos de la novelística griega y
e sus descendientes románicos. Tan tipificados, que Tir-
o satiriza sobre su papel funcional eliminando la des-
ripción de la tormenta para remitir a tantas y tantas
arraciones que la utilizan: «Pintara yo aquí por menu-
o... la turbación confusa en que se ve un bajel mano-
eado de dos espíritus competidores... si no fuera tan
omún en toda narración describir semejantes infortu-
ios», y sustituye esa descripción con suponer «en esta
arte lo que se refiere en tantas».

De acuerdo con el sistema, la acción inicial, en Roma,
e separa en cuatro ramas sincrónicas de localización
spacial diferente:

a) Clemente (Roma → Cesarea → Arado → Siria).
b) Faustino-Nicetas (Roma → Cesarea → Siria).
c) Matidia (Roma → Arado → Siria).
d) Fausto (Roma → Siria).

Y, mediante una narración alternada, el autor va si-
uiendo cada acción hasta los sucesivos encuentros: en
esarea se unen en una las acciones *a* y *b*. En Arado se
ncorpora la *c*, y en Siria se efectúa el reconocimiento
nal. A partir de este momento termina la novela, al
rrarse su argumento en una trama concluida. Incluso
s últimos versos del diálogo (mediante el cual tiene
gar la unión de las cuatro acciones) aluden a ese valor
nclusivo (argumento) y *demostrativo* (mensaje) que
n alcanzado los enlazados acontecimientos:

> Conocerás en tu esposa,
> casta, cuerda y virtuosa,
> los triunfos de la verdad.

Es decir, la *verdad* de la inocencia de Matidia: enlace
n el motivo generador de la trama = amor incestuoso
Flavio y posterior calumnia sobre su virtud. Y Verdad
piritual, porque los hechos *demuestran* el error de una
ncia no basada en el dogma: enlace con el motivo
nerador del mensaje, esto es, con la falsedad de la

predicción astrológica que abre la novela. Sobre la q^
triunfan la Virtud (Matidia) y la Razón cristiana (Ped
y Clemente, los futuros papas).

A partir de este momento el autor precipita la acció
mediante una narración escueta, en una serie de acc
tecimientos, ya desde la casi única perspectiva de la vi
de san Clemente. Se trata de la breve relación de u
vida que no requiere desarrollo novelesco, porque «
hay curiosidad devota que la ignore».

V, 2. La acción lineal de la vida de Tecla y el cuad
argumental de la de san Clemente (en sistemas narr
tivos derivados de las fuentes utilizadas) se conviert
en auténtico entramado de acciones y episodios mut
mente determinantes en *El Bandolero*. La sucesión te
poral de episodios en *La Patrona de las Musas* y l
acciones coordinativas y confluyentes de *Los triunfos*
la verdad se sustituyen ahora por el auténtico mosai
de las *causas concertadas*. Donde, incluso, las posib
digresiones poéticas (elemento de refuerzo *expresivo*
comunicativo en las dos novelas primeras) funcion
aquí subordinadas a la trama, es decir, apoyando o
terminando la acción que la desarrolla.[6]

El elemento más aparentemente digresivo es el re
tado por parte de Pedro de la fábula mitológica so
los amores de Píramo y Tisbe. Formalmente se une
relato mediante el desarrollo tipificado del recurso
tudiado de la narración como *alivio de caminantes*.
ahí, también, su desarrollo en forma casi dialoga
aunque sea el narrador-autor (o narrador-personaje, d

---

6. La opinión crítica general es, sin embargo, contraria. De tal
nera que, incluso, en alguna edición (Madrid, 1944) se suprimen la
bula y el *Certamen* que *El Bandolero* contiene, por considerarlos
guiendo la opinión de Cotarelo) partes no integrantes del desarrollo
velesco. Nougué destaca la construcción rigurosa de *El Bandolero* fr
a los «defectos» de estructura que señala en las otras dos, cuyas di
siones, poéticas o no, considera como fuera de lugar. Y, sin emba
añade, como prueba de una ruptura de esa construcción unitaria y
gurosa: «comment expliquer la présence du long poème mythologi
de *Pyramo et Tisbe* et celle du débat d'amour?» (ob. cit., p. 401);
pasar a considerarlo bajo un único motivo (no estructural): «le goû
l'ornementation exagérée et superflue del barroco» (p. 401).

elchor dentro del marco narrativo del *Deleitar*) quien
ansmite la disposición locativa de los personajes (re-
ante y auditorio dentro de *El Bandolero*) en acción,
decir, sobre la marcha o integrándose después en
estatismo de la tertulia. Un auditorio de serranos,
bre los que destacan dos falsos labradores: la dis-
azada Saurina y el no conocido caballero que es Pe-
o por su nacimiento. La ambientación es bellísima,
ro además cumple una función determinante, fuera
lo ornamental. Por vez primera, y *a través de la Fá-
la*, los personajes comienzan a actuar psicológica-
nte. Hasta entonces Pedro había sido retratado desde
era, pero al ocupar ese primer plano a que le obliga
urina, instándole al recitado, el falso villano, como
personaje teatral que se definiese por su propia acción, se revela ante el auditorio del contexto (los
os villanos y Saurina), el del marco narrativo (los
ntes de don Melchor) y el receptor-lector de la novela
no discreto, culto y poeta sensible, cualidades las dos
imas *no conocidas de Saurina*, que se maravilla de
as. De ahí esa medio declaración amorosa de la dama
mo *efecto* de la impresión recibida por la audición
poema). Y no olvidemos que esa medio declaración
el supuesto nombre de una amiga es, a su vez, *causa*
que Pedro se atreva a poner los ojos en Laurisana,
tivación, a su vez, de toda una serie de acontecimien-
que llevarán a Pedro a la santidad. Ahora bien, para
usar ese impacto sentimental, cualquier muestra, por
te de Pedro, de una perfección intelectual parece que
biese servido. Y, sin embargo, la Fábula, en *cuanto
u contenido*, también actúa determinantemente: Sau-
a se ve retratada en Tisbe («que parece retratar en
principios los amores de cierta amiga mía...», esto
de ella misma), y el desdichado final de sus amores
re de melancólicos presagios un amor que los oyentes
don Melchor ya conocen como imposible. La deter-
ación de Saurina, bajo la connotación de ese conte-
o mitológico, es como un inútil intento de escapar a
destino (y no olvidemos que el cumplimiento de una
fecía es el *fin* de toda la narración). Pero para esa
modación el autor ha necesitado *alterar* el texto ovi-

diano, en donde no se aduce causa alguna para explica
la oposición familiar de los amantes.[7] Sin embargo, Tirs
(por boca de Pedro) introduce esa causa: una desigua
dad social, un Píramo (= Pedro) de inferior condición
que no puede aspirar al amor de Tisbe (= Saurina, e
opinión de la interesada). De ahí la afinidad sentida po
ésta con el personaje ovidiano y el que conteste con un
velada declaración (no comprendida por Pedro), com
respuesta a lo que ha creído entender como otra velad
manifestación amorosa.

A partir del recitado de la Fábula, la acción amoros
comienza su desarrollo argumental. Y, al mismo tiemp
el oyente va introduciéndose paulatinamente en el co
texto cortesano (temática y ambientación) de la acció
imaginada de la historia del futuro mercedario. Porqu
mediante el posterior diálogo crítico sobre los *culto*
aparte de la intención satírica que alcanza como mensa,
fuera del contexto, dentro de éste funciona elevando
un plano de cortesanía a los personajes centrales. Las o
niones, de expresivo realismo, de los villanos auténtico
juzgando los amores de la Fábula, enmarcan significativ
y barrocamente el cuadro central, idealista y culto, e
dos personajes sublimados. Sin ese contrapunto, Pedr
y Saurina no se elevarían hasta su esfera ideal, al igu
que don Quijote sube hasta la cima de su simbolismo s
bre el contraste inicial con Sancho.

Mucho más estrechamente que la Fábula, Tirso une
posterior Certamen poético a la trama de su narracic
El nexo formal es análogo. Aquí no es «alivio de camina
tes», sino la forzada tertulia de cortesanos, por diver
motivación. Una motivación directamente enlazada con
trama, al identificarse con la convalecencia de Pedro.
cuestión de amor, a la manera de una *tensó* provenz
es el *deleite* que entretiene a unos personajes forza

7. Funcionando dentro del contexto mismo de la Fábula, esa *cau*
determinante del desenlace (que se proyecta argumentalmente al c
texto narrativo), se refuerza en más puntos. Es decir, que se trata ta
bién de presentar el texto poético como una coherente sucesión de c
sas. Por ejemplo, esa declaración (inexistente en la fuente) de la ép
del año en que transcurren los sucesos: canícula = calor → sustitu
del manto por un ligerísimo velo en Tisbe → pérdida de éste al
del león: causa del suicidio de los amantes.

nente inactivos. Cumple, naturalmente, una función am-
·iental: la novela alcanza el clímax de cortesanía y, ade-
nás, la conecta con una práctica real del tiempo (y la
engua) de los personajes históricos. Pero contribuye
ambién al desarrollo de la trama, provocando, al igual
¡ue en la Fábula, una reacción psicológica determinante
le acciones posteriores.

Los personajes eligen una temática en sus proposicio-
ies que actúa como mensaje oculto dirigido a *una parte*
lel auditorio. *Velamen* provenzalista que, naturalmente,
10 lo es para los oyentes de don Melchor o los lectores
le Tirso, que conocen los antecedentes. Así, Laurisana
nedirá por la respuesta de Pedro la posibilidad en él
le una pasión contemplativa, ya que no puede aspirar al
natrimonio. La *cuestión* es un diálogo oculto entre am-
·os enamorados. El conde, en competencia con Berenguel,
inte Saurina, mostrará lo equívoco de una preferencia
uando la voluntad se ve encauzada por una decisión
uperior (el rey y Alberto, en este caso). Y Saurina pro-
·ondrá su propia historia, trocando los papeles (dama
,oble y villano → caballero y villana). Como en la Fábu-
a, se utiliza en los dos primeros casos una conocida te-
nática,[8] que se subordina o se utiliza en función de una
ituación argumental. Situación que *desencadena* el de-
·enlace de la trama amorosa de *El Bandolero*.

Primeramente, tras la respuesta de Pedro, Laurisana,
onvencida de su respetuoso amor, decide emprender su
uga con él. En segundo lugar, esa misma respuesta pro-
·oca en Saurina tal desesperación que origina, de un
ado, su desmayo y, de otro, la propuesta de fuga. El
.esmayo de la dama es causa de la serenata que le da
on Berenguel, *motivo* de que se encuentre en el lugar
lave de la escena en el momento de la fuga. Y, por su
·arte, la determinación de Saurina, movida por los celos
la desesperación, es el origen de una serie de concer-
·adas circunstancias que transforman el relato sentimen-
·l en un drama religioso:

8. La «cuestión de amores» incluida en el contexto narrativo, de re-
·iniscencias boccaccianas *(Filocolo)*, atraviesa toda la novela sentimen-
l. Es la base primordial de la anónima *Cuestión de amor*, de 1513 (?),
·impresa doce veces en el siglo XVI. El tema, como resorte estructural

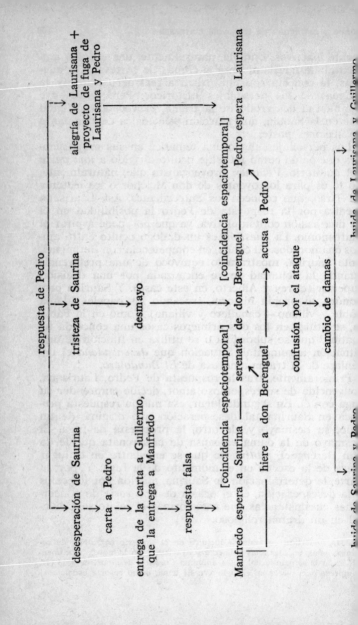

Difícilmente, tras ese somero análisis, creo que podría ceptarse ese debate poético como digresión inoperante. Y, efectivamente, fiel a su teoría del novelar, Tirso en *l Bandolero*, aún más férreamente que en la historia de uan de Salcedo en los *Cigarrales* (tan semejante en amientación y elementos de técnica novelística), ha desarollado imaginativamente[9] un argumento donde *todos* s episodios se suceden temporalmente, pero se enlazan or nexos de causalidad. Una causalidad que, cuando reuiere una explicación providencialista, el autor no duda 1 recalcar. Así, cuando Alberto, prisionero e incomuniado, tiene que recibir la carta de Pedro (cuya lectura es ecesaria en la trama, para forzar al padre al reconociiento de su primogénito), Tirso escribirá acerca del ensajero que lo lleva: «*Dispuso, pues, el cielo* que el ascón Arnaldo fuese hermano del Alcaide dicho [de la risión].» O, más adelante, cuando el perdón público de edro y hallazgo de Saurina, ya públicamente su hermaa, anula todas las dificultades para la posible unión de edro y Laurisana (lógico final del relato cortesano), el utor hace retrasar el conocimiento de su paradero hasta ue coincida con una imposibilidad matrimonial: Lauriana es ya monja en un convento siciliano, determinación ausada, a su vez, por la maquinación de Guillermo para acer que crea en la muerte de Pedro. Y ante la inicia-

---

cundario, se inserta en la novela cortesana del XVII y se escenifica numerosas comedias de ambientación palatina. Para este último asacto cfr. Montesinos, *Una cuestión de amor en comedias antiguas pañolas*, en *Estudios sobre Lope de Vega*, nueva edición, Anaya, 1967, ginas 105-108. En el citado estudio se analiza, partiendo de Rajna, la uestión» de las dos guirnaldas, acogida, al igual que la primera «cues-n» propuesta por Tirso, en el *Filocolo*. Este elemento estructural de narración cobra, además, en *El Bandolero* una concreción ambiental, que el auténtico *partimen* que se desarrolla transcurre en una corte talana del siglo XIII. Aunque, naturalmente, la función narrativa que mple va más allá del puro dato localista.

9. El análisis comparativo del texto con las posibles fuentes utilizadas r Tirso de Molina ha sido minuciosamente realizado por Nougué (ob. ., pp. 236-273). Examen modélico que nos conduce a una concepción eativa en donde se funden leyenda e historia. Recuérdese que el pro- o Tirso tiene una segunda versión del tema: la considerada pura- ente histórica, que redactó para su *Historia general de la Orden de la erced*.

ción de los episodios que llevarán a esa decisión de La
risana que cierra la trama amorosa, Tirso escribe: «P
estos rodeos *disponía el cielo* en favor de Pedro Arme
gol las contingencias de su vida, con tal orden que m
parecían efectos de causas necesarias que accidentes d
baratados de la fortuna.» [10]

En ese orden de relaciones lógicas, la acción gener
de la novela se desarrolla en tres partes bastante di
renciadas:

a) Una breve introducción expositiva (18 hojas en
edición príncipe) en torno al motivo generador de to
la trama: la *predicción astrológica*, unida a la *profe
divina*. Por la primera, Pedro, el recién nacido, será
pitán de bandoleros y penderá de un dogal infame. P
la segunda, un patíbulo le hará santo. Pero en ambas n
nifestaciones se *elude el diálogo* del astrólogo con Alb
to, que, aclarando posibles puntos, anularía la decisi
posterior del padre. En torno a este núcleo generati
se narran escuetamente veinte años de la historia
héroe, en un relato sintético en que la acción se cent
en los monólogos o soliloquios de Alberto, determinant
de su resolución.

b) El desarrollo de una trama sentimental *deriva
de esa resolución (= causa de la ignorancia de su par
tesco entre Saurina y Pedro, pero causa, también, de
afecto desde la niñez). Y encaminada en sus episodios
motivar la conversión caballero → bandolero, como cu
plimiento de una parte de la profecía, la equívoca e
completa del astrólogo.

Para llegar a ese punto medio de la historia de Ped
(donde pueden ya empezar a funcionar las fuentes h
tóricas), Tirso ha construido el clásico mosaico de af
ciones encontradas de la novela pastoril y de la nov
y la comedia cortesanas:

10. Confróntese esta reveladora declaración de técnica narrativa
la expuesta por boca de Juan de Salcedo en los *Cigarrales*, citad
utilizada en páginas anteriores.

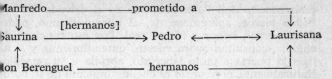

Esquema que, dado el carácter de traidor de Manfredo y la conocida imposibilidad matrimonial de la unión Saurina ↔ Pedro, no tenía sino una lógica solución, sin necesidad de las artes mágicas de Felicia. Pero una solución *cortesana*, imposible para la realidad histórica de la biografía de san Pedro Armengol.

Tirso necesita, por tanto, en el esquema, un elemento perturbador, Manfredo, como causa de la ruptura de ese *lógico* final cortesano. De ahí ese cuidadoso entramado de motivaciones que llevan al confusionismo de un ataque nocturno y al cambio, por error, de las damas.

Hasta ese momento la narración ha ido, pormenorizadamente, detallando unos sucesos transcurridos en un tiempo muy corto (unos días en la vida de Pedro). Se señala el paso del tiempo, casi hora a hora, en una acción de avance continuo, cuya lentitud se acrecienta por la inclusión del debate poético. Tras la confusión de la noche de la fuga (clímax del relato cortesano), la acción lineal y única se fragmenta en tres, coetáneas y distantes: la de Pedro y Saurina en su fuga a Francia; la de Laurisana, raptada por Guillermo en Sicilia, y la de Berenguel, Alberto y Manfredo, desde Barcelona. Pero que van desde ese punto a ir motivando el desarrollo de las otras dos: Manfredo como factor determinante del futuro destino de Laurisana y Alberto del de Pedro, al manifestar su paternidad.

Pero si los hilos de la trama parecen haberse dispersado, el autor vuelve a unirlos por boca de Arnaldo, el mensajero francés. Porque hay un punto de unión de todos ellos: Pedro. Y a Pedro convergen, recopilativamente, esos hilos, transformados en un laberinto confuso de desgracias: prisión y casi muerte de Alberto; destrucción de sus propiedades y familia; desaparición de Laurisana; acusación a Pedro de rapto y homicidio, y odio

renovado de don Berenguel, que es el privado del rey
Pedro pierde, aparentemente, al mismo tiempo, padre
poder, amor, honor y afecto real. Por eso concluye A
naldo: «consultad agora vuestro entendimiento, y si ha
lláis la puerta a tanto laberinto, abridla a su remedio
Naturalmente, el *remedio* es el cumplimiento de su horó
copo de nacimiento: el *bandolerismo* y el «dogal infame
mediante el cual se efectúa la nueva transformación: de
caballero a bandolero y de bandolero a fraile de l
Merced.

c) En la tercera parte de la obra se recobra la unida
de acción y desaparece el entramado de motivaciones ca
sales. Los episodios del futuro santo se suceden enlazada
mente, en progresión temporal, y en una breve narració
(otras 18 hojas de la edición príncipe) se cierra el círcul
comenzado en la primera parte: se cumple totalmente l
doble profecía, y en el patíbulo glorioso de un martiri
(aceptado pero no consumado) el hijo de Alberto alcanz
la santidad.

VI. LA NOVELA CORTESANA EN SU FUNCIÓN
COMUNICATIVA

VI, 1. La novela cortesana del XVII se integra, en función del receptor, en dos tradicionales fórmulas de mensaje social: *deleite* y *aprovechamiento*. Evidentemente, esa unión de didactismo y entretenimiento ya estaba en los antiguos modelos. Escribe al-Muqaffa:

> E posieron exenplos e semejanças en la arte que alcançaron e llegaron por alongamiento de nuestras vidas, e por largos pensamientos e por largo estudio, e demandaron cosas para sacar de aqui lo que quisieron con palabras apuestas e con rrazones sanas e fyrmes; e posieron e compararon los mas destos exenplos a las bestias salvajes e a las aves. E ayuntaronseles para esto tres cosas buenas: la prymera, que los fallara usados en rrazonar, e trobaronlas, segun que los usavan, para dezir encobiertamente lo que querian, e por afyrmar buenas razones; la segunda es que lo fallaron por buena manera con los entendidos, porque les crezca el saber en aquello que les mostraron de la filosofia quando en ella pensavan e conoçian su entender; la terçera es que los fallaron por juglaria a los disçipulos e a los ninos.[1]

Más tarde, cuando ese niño que ha recibido la encubierta enseñanza, «por juglaría», esté en edad de razonar, hallará como norma de vida esa enseñanza *encubierta* que ha entrado en su espíritu por la vía del *decoro* literario: por palabras *apuestas* y razones *sanas* y *firmes*. Esas son las *medicinas* del espíritu que el médico Berzebuy ofrecerá a su rey tras su viaje a la India. Las mismas que preconiza don Juan Manuel cuando explica el porqué de su técnica narrativa:

> Et esto fiz segund la manera que fazen los físicos, que quando quieren fazer alguna melizina que aproveche al fígado, por razón que naturalmente el fígado se paga de las cosas dulçes, mezcla[n] con aquella mele-

---

1. *El Libro de Calila e Digna*, ed. cit., p. 3.

zina que quiere[n] melezinar el fígado, açúcar o mie
o alguna cosa dulçe; et por el pagamiento que el fígad
a de la cosa dulçe, en tirándola para sí, lieva co
ella la melezina quel a de aprovechar. Et esso mism
fazen a qualquier miembro que aya mester algun
melezina, que siempre la dan con alguna cosa qu
naturalmente aquel mienbro la aya de tirar a sí. E
a esta semejança, con la merçed de Dios, será fech
este libro, et los que lo leyeren [si por] su voluntad
tomaren plazer de las cosas provechosas que y falla
ren, será bien; et aun los que lo tan bien non enten
dieren, non podrán escusar que, en leyendo el libro
por las palabras falagueras et apuestas que en é
fallarán, que non ayan a leer las cosas aprovechosa
que son y mezcladas, et aunque ellos non lo dese[e]n
aprovecharse an dellas, así commo el fígado et lo
otros miembros dichos se aprovechan de las mele
zinas que son mezcladas con las cosas de que s
ellos pagan.[2]

El vitalismo renacentista de Boccaccio puede desterrar
el amargor que encierra la píldora para exaltar la dulzura que la envuelve. Porque don Juan Manuel señala
una nota reveladora en los dos componentes del mensaje:
la enseñanza provechosa (acomodada a una ley moral
inmutable) deberá ir envuelta en una cubierta de deleite
cambiante y fluctuante, puesto que deberá ir presidida
por la *acomodación* a cada miembro.

Es decir, para que el receptor capte el mensaje hace
falta una *voluntad* de aceptación previa a la *comprensión*
de aquél. Deberá, por tanto, el emisor estudiar cuál es el
gusto del receptor, para forzar la aceptación. Sólo después podrá adaptar el *modo* del mensaje al código inte-
lectivo del que habrá de recibirlo:

2. *El conde Lucanor*, ed. José Manuel Blecua, Madrid, Clásicos Castalia, 1969, pp. 52-53. Como observa Blecua en su Introducción, se trata
del «viejo tema, sin estudiar entre nosotros, de lo "dulce" y lo "útil"».
Y añade un interesante párrafo (p. 30) donde marca, en apoyo de la
modernidad de don Juan Manuel, cómo el tópico del *delectare* y *pro-
desse* adopta en él una «actitud muy consciente y clara», que lo enlaza
con la trayectoria seguida en España por el procedimiento: «Por de
pronto, Boccaccio, que escribe pocos años después su *Decamerón*, ini-
ciará una corriente literaria que tendrá muy pocos seguidores en España, donde la "ejemplaridad" es bien palpable, hasta en los títulos,
desde don Juan Manuel a Unamuno.»

... commo quier que los omnes todos sean omnes et todos ayan voluntades et entençiones, que atán poco commo se semejan en las caras, tan poco se semejan en las entençiones et en las voluntades; pero todos se semejan en tanto que todos usan et quieren et aprenden mejor aquellas cosas de que se más pagan que las otras. Et porque cada omne aprende mejor aquello de que se más paga, por ende el que alguna cosa quiere mostrar [a otro], dévegelo mostrar en la manera que entendiere que será más pagado el que la ha de aprender.[3]

Efectivamente, tanto Boccaccio como don Juan Manuel efectúan la *acomodación* de la envoltura al grupo social que será su receptor. Sólo que en el italiano envoltura y contenido se armonizan, en ruptura total del alegorismo o la ejemplificación moralista medieval: la exaltación de vivir que muestra su envoltura, que es la dulzura que «tira a sí» el «miembro» del cuerpo social al que se dirige, ha rellenado también el contenido de la píldora, porque el hedonismo envuelve ahora un idéntico hedonismo.

Y, sin embargo, Cervantes vuelve sus ojos a la «ejemplaridad», en el conocido prólogo a sus *Novelas*, que aúna deleite y aprovechamiento. Pero en donde lo *dulce* ya no está en función de lo *útil*, sino a la par. Porque si bien afirma el «honesto y sabroso fruto» que podría extraerse de sus narraciones, éstas se dirigen a entretener con «ejercicios honestos y agradables», que «antes aprovechan que dañan», esas horas «de recreación, donde el afligido espíritu descanse». Esa función social de entretenimiento deleitoso de las horas de necesario ocio se enlaza con la novela cortesana del XVII, cuyo magisterio ejercen las novelas cervantinas, en paralelo con Boccaccio. Porque por medio de esa función social el lector se *integra* en el marco descrito: si unos cortesanos selectos se entretienen en «ejercicios honestos y agradables» en el ocio del universo narrativo que los encuadra, el lector se fusiona con ellos en su plano de realidad social, cumpliendo así, evasivamente, el mismo ideal de cortesanía que aquéllos predican. Y no siempre, como había escrito Cervantes, «se está en los templos, no siempre se ocupan los oratorios,

3. Ed. cit., p. 51.

no siempre se asiste a los negocios». Es más, esa *recrea-* *ción* puede estar al servicio de una mayor perfección d la *utilidad* (= acrecentamiento moral), en *exenplo* que tradición individualizaba en san Juan y Tirso recogerá comienzo del *Deleitar*:

> Otro trebejo hay e de compañía honesta, que es pa recreación del cuerpo e para sofrir el trabajo. Et esta manera algunos santos se soltaron a algunos tr bejos honestos, así como leemos de sant Johan q trebejaba con una perdiz, e reprehendíalo un vasal en su corazón diciendo como estaba trebajando aqu viejo, e llamóle e díjole que armase la ballesta, fízolo e díjole que la sobiese. E él díjole e respondió non lo podría facer que quebrantaría la ballesta. E r pondióle sant Johan: «Bien así a las veces nos co viene soltar a algunos juegos honestos, ca en ot manera non podríamos sofrir el trabajo.» [4]

Siguiendo esa tradición, Tirso escribe *justificando* la i tención deleitable de sus personajes cortesanos: «Pues n siempre necesitan los jornales de nuestra obligación, d modo que no tengan sus asuetos para el alivio: testigo perdiz, juguete del mayor Evangelista...»

Ejemplaridad y deleite podían, por tanto, ser motiv ciones complementarias. Las palabras *apuestas* de do Juan Manuel se enlazaban a una finalidad sociológica qu entrañaba un doble plano: eran, primero, *ejemplos d* conducta, según la declaración expresa de los autores e sus prólogos,[5] y atendiendo a su contenido, que hoy den

4. En *Castigos e documentos del rey don Sancho*, cap. LI. Cito p la edición de P. Gayangos, B.A.E., LI. Recuérdese que Tirso comien su *Deleitar aprovechando* con el *ejemplo* dado por san Juan.
5. Recuérdese, entre tantos ejemplos y tantos títulos significativos, décima que Castillo Solórzano ofrece a Tirso en los preliminares de l *Cigarrales*:

> ... *agradece vuestra idea* *que le dexe en sucessión* *partos de recreación,* *estancias de amenidad,* *preceptos de urbanidad* *y exemplos de erudición.*

Donde palabras como *recreación* y *amenidad* enlazan con el «deleite mientras los dos últimos versos nos sitúan en el «aprovechamiento

naríamos *integracionista*. En segundo lugar, eran el
mplimiento de una necesidad individual («divertir me-
colías y honestas ociosidades»[6]), en donde el arte cum-
a una función social. Necesidad que engendraría un
tema novelesco (el relato que entretiene a un auditorio
preso en el contexto) y determinaría la *aceptación* vo-
taria del sistema narrativo por parte de un amplio
tor social. Cervantes, Castillo Solórzano, Céspedes,
so, María de Zayas..., acomodaron inteligentemente su
ndo novelesco cortesano al *modo* de que «más se pa-
ba» la sociedad cortesana a que se dirigían. Por ello
ando Tirso quiere lanzar su mensaje didáctico piensa
los dos posibles cauces de *aceptación* mayoritaria:
media o narración novelesca. Y, restringiendo su re-
tor a un grupo social *dirigente* (sangre, dinero y cul-
a), sólo le queda el sistema narrativo, porque el pri-
ro no armoniza con él: la *comedia de santos* no es ya
envoltura idónea para el «miembro» social al que quie-
aleccionar. Y la posible reforma social ha de comenzar
los privilegiados (santa Teresa, un siglo antes, la ha-
comenzado por otros caminos). Tirso, como Gracián,
consciente de una crisis de estructuras sociales.[7] Por
presenta en *Deleitar*, como solución contrarreformis-
novela cortesana «a lo divino»: esa «miscelánea»
que alude en los preliminares, en denominación que no
de a lo heterogéneo de los elementos. *Deleitar* es una
iscelánea» porque presenta aunadas la *ficción* de la
vela, la *representación* de la escena y la *imitación* de la
sía con la *verdad*. Y todos esos elementos, armoniza-
s en una intención, son el *exenplo* de la Verdad. El re-
tor, como diría al-Muqaffa, tiene la obligación de
tender el mensaje, porque es un mensaje de salvación.

Esos son, a lo que parece, los fines también de las *comedias*
ero de análoga fundamentación social que la novela corta en el
), según palabras de Tirso en el prólogo a los *Cigarrales* (ed. cit.,
ina 21).
Muy sugerentemente, Alan Soons, *Ficción y comedia en el Siglo*
Oro, en *Estudios de literatura española*, Madrid, 1967, pp. 42-50, ha
lizado *El escenario en las novelas de Tirso de Molina*, bajo una
rpretación simbólica de enlace con Gracián.

VI, 2. Porque Tirso, en los preliminares de su obr
opone a la *verdad* de sus historias lo quimérico de la
narraciones al uso, en la cita de los ejemplos arquetí
cos de posibles realizaciones o subgéneros novelescos:
relato italianizante, la novela griega y sus derivacione
los libros de caballerías, la picaresca, la pastoril, los *
latos de aventuras:

> Si tanto se recrea el común gusto con lo peregri
> de los cuentos, lo enmarañado de los amores, lo
> merario de la valentía, lo ingenioso de las trazas
> lo quimérico de las aventuras, ni en cuanto el Bocac
> el Giraldo, el *Bandelo* y otros escribieron en tosca
> Eliodoro en griego, en portugués Fernán Ménc
> Pinto, Barclayo en Francia, los autores de los Be
> nises, Febos, Primaleones, Dianas, Guzmanes de Al
> rache, Gerardos y Persiles en nuestro castellano, pued
> compararse (puesto que todos son patrañas) con l
> sucesos portentosos, raros y verdaderos destos t
> sujetos.[8]

8. En la Dedicatoria de *Deleitar*, al aludir a su propósito noveles
La traducción de las *Historias trágicas* de Bandello se realizó parci
mente en Salamanca (1589), y un año después, en Toledo, se publi
ban las *Hecatommithi* de Geraldo Cinthio. Naturalmente, la cita
Fernão Mendes Pinto alude a su fabulosa y difundida *Peregrinação*.
cuanto a «Barclayo en Francia», alude al famosísimo *Argenis* del es
cés Juan Barclay, que, residente en Francia, publicó su novela lati
en 1621 en París, cuyo texto fue reimpreso hasta cuarenta veces en
siglo XVII. Sería indudablemente ese texto latino el conocido de Tir
pero su errónea identificación con un autor francés puede derivar de
también difundidísima traducción de Marcassus: *Les amours de Poli
que et d'Argenis* (París, 1622). En cuanto a los libros de caballerías, c
arquetípicamente al héroe de *Don Belianís de Grecia* (1547-1579), del
cenciado Jerónimo Fernández, y al protagonista del *Espejo de prínci
y caballeros*, en sus cuatro partes (1562, 1581 y 1589, las dos últim
más difundido que su imitación: *Primera parte del dechado y rem
del Caballero del Febo, el Troyano*, de Esteban Corbera, en 1576. B
lianís y el Caballero del Febo, recuérdese, dedican dos sonetos a c
Quijote en los preliminares de la novela cervantina. Primaleón apare
antes, en 1512, en el *Segundo libro del emperador Palmerín, en que
relatan los nobles y valerosos hechos de Primaleón y Polendo, sus hij
y pronto el personaje citado pasa a una primacía en la titulación: P
maleón. Los tres libros del muy esforzado caballero Primaleón y Pol
do su hermano, hijos del emperador Palmerín de Oliva* (Venecia, 153
Con análogo valor arquetípico, las «Dianas» es referencia a la de Mon
mayor (1559), como los «Guzmanes de Alfarache» a la obra más carac
rística de la picaresca del barroco, como es la de Mateo Alemán,

De todos ellos (con la significativa ausencia del *Quijo-te*[9]) destaca lo ficticio de su contenido, en denominación que remite a Timoneda: «... patraña [= novela] no es otra cosa que una fingida traça, tan lindamente amplifi-cada y compuesta, q[ue] parece q[ue] trae alguna apa-riencia de verdad».[10] Y, sin embargo, esas «quimeras» y «patrañas» atraen el gusto social por el sistema de ex-posición de sus asuntos: «lo peregrino [= raro, nuevo, portentoso] de los cuentos» (Boccaccio, Geraldo Cinthio, Bandello...), «lo enmarañado de los amores» (las «Dia-nas...»), «lo temerario de la valentía» («los Belianises, Febos, Primaleones...»); «lo ingenioso de las trazas» (He-liodoro, *Persiles, Argenis, ¿Guzmán?...*) y «lo quimérico de las aventuras» *(Peregrinação...).*

Así pues, si es la *envoltura* lo que convierte estos libros en manjar apetitoso de una sociedad que tiene el gusto alejado de la enseñanza ejemplar, «doremos esta píldora; hagamos una miscelánea provechosa», una «disposición nueva», y «novelemos a lo santo», fabricando «un tercer mixto» como la abeja: un género literario que una la *ver-dad* del contenido histórico con la *fingida traza* de la no-vela. Pero en donde esa verdad sea una *verdad ejemplar* (la flor que liba la abeja) que, unida a lo «marañoso», «entretejido de lo raro» del *artificio* (abeja = novelista), produzca la *dulce* y *saludable* miel de un relato que *apro-veche* por su verdad y *deleite* por su composición:

> Buscaba, pues, mi pluma alguna disposición nueva,
> que la medrase crédito con tales tres asuntos; tal
> vez imaginaba fiarlos al teatro en otras tres comedias;
> pero apenas me las consultaba el pensamiento, cuan-

59 y 1604. Y, acercándose en cronología, el *Poema trágico del español Gerardo* (1615 y 1618) de Céspedes y Meneses y *Los trabajos de Persiles y Sigismunda,* en 1617.

9. ¿Es una ausencia intencionada? Se ha elegido el *Persiles* como prototipo de novela imaginativa, «ingenioso en las trazas y quimérico en las aventuras». ¿Qué género de *verdad* vio Tirso en las hazañas quijo-tescas? Porque lo *quimérico* no es análogo a lo *inverosímil,* como prue-ba la inclusión del *Guzmán* o del *Gerardo.* ¿Pudo calibrar Tirso la in-trínseca *verdad* del *Quijote*?

10. Juan de Timoneda, *El Patrañuelo,* 1567. Cito por la ed. de E. Ju-liá, Bibliófilos Españoles, I, Madrid, 1947.

do, retrocediendo, él mismo me advertía cuán desg
nado el auditorio a todo lo sagrado amenazal
atrevimientos ya envidiosos, ya ignorantes (si los un
de los otros se distinguen), lo contingente del apla
so, lo peligroso de las ostentaciones carpinteras
pintoras (a donde han dado en acogerse, como a pe
tería de convento, las penurias de las trazas y sente
cias), la poca fe que ganan las verdades con k
ensanches mentirosos, que en semejantes argument
añaden las Musas, pues no hay comedia de las des
especie en que no pongan más prodigios de su ca
que encierra un Flosantorum (como les venga a cuen
a las tramoyas), sin que escrupulicen los poetas k
censuras que el Concilio sacrosanto tridentino fulmi
contra los que fingen milagros nunca sucedidos. Y
timamente recelaba el saber por experiencia lo po
que permanece la memoria de los varones célebr
que por este camino se manifiestan al concurso, pu
la que más duración goza es en la Corte quince dí
y en los demás pueblos tres o cuatro, quedando
tercer año sepultados sus cuadernos en los legaj
cuando mucho, de algún tratante papelista. Vidas
santos (me decía asimismo) sencillamente impres
por más que las sazone lo admirable de sus casos,
llevan consigo lo fastidioso que todo lo divino: l
títulos solos de los libros espirituales dan de su
en cara que ofrecerle a un mercader el privilegio
balde, para que los fíe al molde, es sentenciarle
la pérdida del gasto, y la impresión al destierro
las especerías o cartones. (Tan insípida tiene la
voción nuestra tibieza.) ¿Novelas? Eso sí. Libros
comedia, aunque salgan los tomos de veinte en vein
Quimeras y aventuras, con todo género de dive
miento aseglarado, por lo nuevo, apetitoso; por
eslabonado, suspensivo, y por lo satírico, picante.
tos se compran, se buscan y apetecen, sin que (aune
diversas veces se impriman) se pierdan los librer
ni los letores se me empalaguen.

Pues buen remedio (proseguía mi discurso): doren
esta píldora; hagamos una miscelánea provechosa
a imitación de la abeja (que con su artificio y
flores de los romerales saca un tercer mixto que,
ludable y dulce, ni es totalmente tomillo, ni rome
ni del todo degenera de sus virtudes y sustanc
novelemos a lo santo, y entre lo marañoso y entre
jido de lo raro de sus vidas fabriquemos estos t

panales, que, lisonjeando al apetito enfermo, comuni-
que confitado lo medicinal de sus ejemplos.

En realidad, ese género *mixto* que anuncia no era, en
rso, sino una consecuencia de sus opiniones de altera-
ón de lo histórico en favor del arte. Respetando una
rdad esencial, es lícita la transformación de los hechos
ntingentes. Al igual que la realidad se modifica al ser
ansmutada en arte, la veracidad histórica ha de sufrir
álogo proceso de transformación para ser, igualmente,
te. Porque el escritor podrá rellenar esas «sombras de
verdad»,[11] que vendrán a ser más largas cuanto más ale-
da esté de él la materia sobre la que habrá de montar
artificio de su obra. Esas adiciones deberán ser «guar-
ciones opinables que no desdigan de la tela con que
stimos nuestro asunto», cuando se trata de una narra-
ón *verista*, esto es, histórica. Pero cuando esa historia
de aunarse a un género de ficción (novela o comedia),
s digresiones explicativas, encomiásticas o aleccionado-
s (tan utilizadas en *La Patrona de las Musas*) podrán
stituirse por elementos narrativos que condicionen el
sarrollo argumental. Así, la técnica de *El Bandolero* se
e a la declaración tirsista a propósito de *El vergonzoso*
palacio:

Pedante hubo historial que afirmó merecer castigo el
poeta que, contra la verdad de los anales portugueses,
había hecho pastor al duque de Coimbra don Pedro
—siendo así que murió en una batalla que el rey don
Alonso, su sobrino, le dio, sin que le quedase hijo
sucesor—, en ofensa de la casa de Avero y su gran
duque, cuyas hijas pintó tan desenvueltas, que, contra las leyes de su honestidad, hicieron teatro de su
poco recato la inmunidad de su jardín. ¡Como si la
licencia de Apolo se estrechase a la recolección histó-

1. En *Vida de la santa madre doña María de Cervellón* («Revista de
chivos, Bibliotecas y Museos», 1908, XVIII, pp. 1-17 y 243-256; XIX,
262-273; 1909, XXI, pp. 139-157). Cito a través de A. Nougué, p. 396.
ecisamente esa necesaria *lejanía* del sujeto, que supone un distinto
tamiento de lo histórico, es uno de los puntos clasificadores que
pto para la distinción entre comedia *palatina* y *cortesana*, dentro
la comedia de enredo tirsista. Cfr. *La creación dramática de Tirso
Molina*, en *Obras*, Barcelona, Vergara, 1968.

rica y no pudiese fabricar, sobre cimientos de per
nas verdaderas, arquitecturas del ingenio fingidas!

En realidad, llegar a la histórica (aunque póstuma) r
vindicación del duque de Coimbra por los cauces de
arquitectura fingida de una trama amorosa está en
misma línea que *posibilitar psicológicamente* la conve
sión de Pedro Armengol mediante otra falsa tramoya
enredo sentimental. En ambos casos Tirso *cumplía* un
normas literarias que, en una novela «a lo santo», con
tituirían la envoltura dorada del mensaje didáctico,
analogía intencional con sus bellísimas comedias hag
gráficas.

No podemos olvidar, además, que Tirso declara, con
preámbulo explicativo, que en la historia de sus protag
nistas le sedujo ante todo la *elocuencia* de la narr
ción, lo *entretejido* de los sucesos y los *rodeos* que utili
la Gracia para lograr un final deseado. Y los tres aspe
tos son equiparables (y transformables) a esos element
del significante que captan la atención y el entusiasm
de su auditorio.

En esa línea, Tirso, como todo novelista cortesano,
integra en un sistema preestablecido de comunicación q
agrupa dentro de la obra tres *modos* de presentación
mensaje: una novela, propiamente dicha, que, convenc
nalmente, se lee o relata frente a un auditorio; una
presentación teatral escenificada ante su vista, y un p
ma o poemas, recitados ante análogo auditorio. Narr
ción, teatro y poesía se conjugan tanto en la estructu
de la obra —tres narraciones, tres autos, tres certámen
con un marco común— como en el desarrollo de ca
unidad narrativa.

Ahora bien, en su propósito contrarreformista, tan
plícitamente declarado en la Dedicatoria o preliminar
su obra, en ese «dorar la píldora» de su intencionalida
ha de cargar a sus tres elementos de análogo poder
seducción al que poseían la novela amorosa, la comed
de enredo o los poemas no religiosos. Y los «tres su
tos» de sus novelas —Tecla, Clemente, Pedro— han de s
también esa «mezcla» de lo deleitable y lo provecho

12. *Cigarrales*, ed. cit., p. 123.

ara que la lección viviente que representan cumpla su
ometido didáctico. De ahí que en sus historias (ver-
ad = historia) haya necesariamente que entretejer la
cción (= novela). Por ello *han de ser* personajes de no-
la cortesana o de aventuras (y como tal se desarrolla su
cripecia narrativa), pero cumplen en el mensaje de la
ora una función social de didactismo. Por eso Tirso pun-
aliza lo «nuevo» de su creación.

Igualmente, esa «mezcla» ha de alcanzar al encuadre
ue enlaza las unidades: unos relatos de Carnestolendas
ue ejerzan una función contraria a lo establecido. Si la
ovela aislada presentaba una dualidad contrastada, el
arco narrativo también aparece como una «composición
ueva», en donde el *tiempo de regocijo* (como lo deno-
inó Castillo Solórzano[13]) se una a un tiempo de medi-
ción. Lo *usual* sería un *tiempo de cuaresma*, pero en
e encuadre Tirso no podría ni buscar el deleite en su
ensaje, ni *dorar* en fórmulas narrativas (que son las
ue acepta el receptor cortesano al que se dirige) su men-
je edificante. Un mensaje para una vida en el seno de
sociedad, no para la meditación individual de oratorios
celdas.

Pero si el marco es *nuevo* en cuanto a la novedad de
función y al engranaje de sus contrastadas motivacio-
s, respecto a su disposición formal habrá de sujetarse
la norma establecida en el sistema. Y toda novela corte-
na que elige como motivación de su entramado una
unión festiva en tiempo de Carnaval tiene ya determi-
da una fragmentación temporal en tres unidades narra-
vas correspondientes a tres días y a tres reuniones. En
cerrada estructura del sistema Tirso *necesita* tres na-
aciones que completen la composición ternaria que pre-

---

3. Castillo Solórzano, en su común vinculación con Lucas Hidalgo,
bía ya publicado en 1627 una obra así denominada, que estructura
anticipa, esquemáticamente, el esquema tirsista: «tres nobles caba-
os casados, que vivían en tres principales casas» en Madrid, y que
ciden pasar los tres días de Carnestolendas en honestos entreteni-
entos, a través de tres *Fiestas*. En éstas se cuentan tres novelas, se
itan tres poemas o grupos de poemas y se representan un entremés
e se edita), una máscara y una comedia, a las que se hace referen-
. Cito por la ed. de Emilio Cotarelo, Madrid, Colección Selecta de
tiguas Novelas Españolas, 1907.

side rígidamente el marco elegido. A partir de ese esquema montará la totalidad de la obra. Si bien esa triple
unidad se desarrolla, a su vez, mediante un ritmo binario
de subunidades contrastadas.

VI, 2, 1. El motivo generador de la tertulia (desarrollada luego bajo técnicas teatrales) se especifica mediante una previa reunión, dialogada, en donde el narrador
autor se limita a una breve presentación de los tres elementos base de todo marco narrativo similar: lugar, fecha, personajes. Mediante el lugar y la fecha, el marco
ya acusa su dualidad en lo intencional: lo «ocasionado»
de Madrid para vicios y perfecciones», y el contraste de
unas fechas, en las que parece que «Jerusalén y Babilo-
nia en un mismo lugar compiten». Pero, obediente al sistema, el narrador presenta *tres* personajes, que se des-
doblan en seis:

don Melchor   ←——→   doña Manuela
don Luis   ←——→   doña Beatriz
don Francisco ←——→   doña Estefanía

Tres matrimonios que *actúan* en el diálogo introductorio
para igualarse posteriormente en análogo papel funcional: los tres caballeros, estudiosos y dotados de ingenio
(*Ingenio* y *Estudio* son las calidades que Tirso se atribuye
en los *Cigarrales* [14]), no son sino una proyección del autor, intermediarios entre éste, como emisor de un mensaje, y un receptor-lector. Y a veces la identificación narrador = Gabriel Téllez y Gabriel Téllez = personaje aparece sintomáticamente. Así, aludiendo al Certamen de la
Justa toledana de la canonización de san Ignacio, escribe
Tirso: «lo que escribió entonces [él = don Luis = un Gabriel Téllez real] y agora dijo don Luis [= Gabriel Téllez = narrador]». Identificación, por otra parte, que permite la inserción de notas explicativas de cada grupo de
poemas, no *dirigidas* al auditorio, y, por tanto, no en boca
del personaje, sino del autor y dirigidas, lógicamente, a
los lectores. Sería, en el convencionalismo del sistema

14. Ed. cit., p. 103.

na de las adiciones efectuadas sobre los textos al darlos
la imprenta, al igual que la amplificación de las novelas,
gún declaran que efectuarán sus propios narradores.

Por esa fusión continua entre el narrador-autor y el na-
rador-personaje, las tres damas desaparecen como per-
najes-actantes y sólo se las menciona como complemen-
o o adición social de los tres caballeros, que sí son
narradores y *recitantes*. A la vez que, naturalmente, todos
integran como auditorio, es decir, como receptor-expre-
en cada actuación personal de uno de los tres. Y los
is cumplen análoga función receptiva en la representa-
ón de los *autos*, como parte del auditorio. Pero esos
es personajes femeninos, *no actantes* (es decir, que no
esarrollan acción alguna individual, ni son portavoces
e discurso alguno), no cumplen únicamente una función
e ambientación social en las tres unidades. Creo que su
arentemente innecesaria presencia deriva de dos nece-
dades intrínsecas a la obra: la primera, del ritmo bina-
o en que se desarrolla cada una de las unidades y den-
o de la estructura ternaria de la composición general;
. segunda, la función motivadora que ejercen en el diá-
go inicial. Veamos, primero, este segundo punto.

El diálogo inicial comienza muy sistemáticamente y se
esarrolla en un juego de oposiciones psicológicas:

oña Beatriz	⟶	*proposición* de regocijos honestos
on Luis	⟶	*apoya*, con razones psicológicas, la unión de lo honesto con lo jovial
on Melchor	⟶	la *apoya* con citas cultas
on Francisco	⟶	la *reafirma* con más citas
oña Manuela	⟶	*propone* una conversación ingeniosa y varia
on Francisco	⟶	nuevo *apoyo* cultista
oña Estefanía	⟶	*propone* contar novelas
oña Beatriz	⟶	*propone* sustituirlas por vidas de santos
on Luis	⟶	*organiza* el contenido, sistematizando las opiniones
on Francisco	⟶	*dispone* la forma de lo propuesto

No creo que sea casual que las tres damas reflejen un
tímulo y una propuesta, reflejo de una costumbre so-
al. Ni que los tres caballeros *accedan* a ese estímulo

desde su cultura y su inteligencia. Cultura que *aprueb*
una práctica social (simbolizada en las tres damas) y l
rehace, dándole un contenido nuevo, en la sustitución po
don Luis:

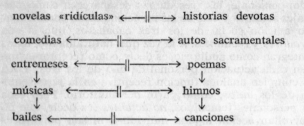

novelas «ridículas» ←——||——→ historias devotas

comedias ←————||————→ autos sacramentales

entremeses ←————||————→ poemas
     ↓   ↓
músicas ←————||————→ himnos
     ↓   ↓
bailes ←————||————→ canciones

De tal manera, que si los tres caballeros *son* la expla
nación cortesana del religioso mercedario, las tres dama
se configuran como esa misma sociedad cortesana *dirig*
da, en sus mejores tendencias, por una guía y magisteri
superior.

Pero ese contraste social del diálogo es, también, u
elemento formal repetido. El dualismo viene, naturalme
te, determinado por la idea generadora de la obra:

deleite ————→ novela   +   teatro   + poema:
    +   ↓   ↓   ↓
aprovechamiento → «a lo santo» + «a lo divino» + religioso

En cuanto a la composición general deriva, como e
lógico, de esos tres días de Carnestolendas:

tres días → tres personajes → tres reuniones——
[tiempo]   [espacio] |

                              tres narraciones ←—
                                   tres autos ←—
                              tres certámenes ←—|

Ahora bien, cada ciclo narrativo (tres días) agrupa su
unidades mediante un ritmo binario de elementos cor
trastados que, en cada caso, ofrecen ese contraste co
un valor significativo distinto:

$$\text{tres personajes} \begin{cases} \nearrow \text{ marido y mujer} \\ \rightarrow \text{ marido y mujer} \\ \searrow \text{ marido y mujer} \end{cases}$$

$$\text{tres lugares} \begin{cases} \nearrow \text{ un local, pero con dos decorados sucesivos} \\ \rightarrow \text{ dos locales} \\ \searrow \text{ dos locales} \end{cases}$$

$$\text{tres días} \begin{cases} \nearrow \text{ mañana y tarde} \\ \rightarrow \text{ mañana y tarde} \\ \searrow \text{ mañana y tarde} \end{cases}$$

Y si la novela exige un solo narrador y el *auto* una variedad de actores, el Certamen aparece, sin embargo, desdoblado en dos personalidades. No ya Gabriel Téllez = Tirso de Molina, sino Tirso de Molina → villano sayagués:

$$\text{tres Certámenes} \begin{cases} \rightarrow \text{ dos recitantes:} \\ \quad \text{don Luis } \leftarrow\|\rightarrow \textit{Paracuellos del Jarama} \\ \rightarrow \text{ dos recitantes:} \\ \quad \text{don Francisco } \longleftarrow\!\dashrightarrow \text{ otro caballero} \\ \rightarrow \text{ dos recitantes:} \\ \quad \text{don Melchor} \leftarrow\|\rightarrow \textit{Gil Berugo de Tejares} \end{cases}$$

Si hay un insinuado contraste opositivo de significación sociocostumbrista en el desdoblamiento de los tres personajes, el que aparece en los recitantes primeros y terceros es característico del dualismo barroco, y, naturalmente, se escapa del esquema de lo simplemente formal para convertirse en síntoma expresivísimo de una estructura socioideológica. La dualidad espacial no puede, sin embargo, ofrecerse como contrastada. Lo ambiental del marco debe ser el adecuado a la selecta sociedad que representa el auditorio. Ese auditorio ideal, de donde se ha eliminado lo bajo y lo plebeyo (se dice expresamente), puede y debe armonizar con el espacio que ocupa. El *contraste* sería aquí inadecuado, y el escenario es *distinto* en sus accidentes, pero idéntico en lo esencial: su refinamiento manierista. E igualmente el dualismo temporal: tampoco puede haber contraste. Únicamente, mostrar en dos tiempos dos modalidades cortesanas: la novela narrada desde su conato de escenario, con preámbulos musicales, y el escenario total de por la tarde, para un teatro también *total*: texto, música, danza y, sobre todo, *fusión* de los espectadores con el espectáculo. Porque el recitante de un momento es espectador en otro. Y los actores (que son los «familiares», es decir, servidores y allegados de los anfitriones) formarán parte también, poco después, del auditorio que aplaude.

Pero, por encima de ese dualismo subyacente (tan sintomáticamente barroco), el sistema se integra en una estructura ternaria de sus unidades principales. Más acusada si se observa que entre la narración de los sucesos de mañana y tarde no hay un corte narrativo, como lo hay, y fuerte, entre día y día. Existen, indiscutiblemente, una vez que abandonamos la *Introducción* (diez días antes del domingo de Carnaval), dos fuertes pausas temporales, aunque el enunciado una dos momentos distanciados: «departiólos el sueño y reducidos los mancomunados en estos entretenimientos a sus habitaciones, amaneció el lunes bizarro con el sol puesto...».

Por el contrario, esas pausas temporales, necesarias, y que marcan la división en tres días, no existen en el paso de la mañana a la tarde, continuidad narrativa que se marca mediante dos procedimientos: el primero, la expresa mención de que *una parte* del auditorio permanece unida, sustituyendo narración, representación y poemas por una comida, dilatada hasta el comienzo de la reunión segunda, o apresurada ante la inminencia de la misma; y el segundo, la sustitución del corte temporal por la síntesis narrativa, acelerada, pero en donde el narrador-autor no abandona un momento a sus personajes, hasta convertirse en nexo unitivo de los dos momentos claves: narración y representación. En cuanto al paso del *auto* al Certamen, si se concibe este último como el entremés que acompaña a la comedia, es obvio que no se marcará pausa alguna.

Mediante esa *continuidad*, Tirso logra una casi total analogía en sus tres unidades, idénticas en el discurrir temporal, en la distribución espacial de las subunidades y hasta en la disposición del enunciado (véase el esquema de las páginas 134-135).

Observemos, por ejemplo, cómo la alteración mínima de un orden espacial rompe, en consecuencia, el orden del enunciado. Así, el lunes y el martes *dividen* sus espacios en dos locales. El narrador-autor agrupa, entonces, la descripción de ambos en un solo enunciado, *antes* de la narración de la novela. Pero el domingo el local es único. Para mantener el ritmo dual se impone la distinción, mediante un distinto decorado. Y, en consecuencia, el decorado, en técnica teatral, se monta *entre bastidores*, es decir, en ausencia del auditorio y mientras comen los personajes, como en un entreacto o descanso. Y su descripción ha de pasar al comienzo de la representación. Una vez que se efectúa ese traslado puede, igualmente, variar su contenido, porque, por la cercanía de su descripción al texto teatral que enmarca (cercanía inexistente en el lunes y martes), dicho texto *configura* el enunciado, que pasa a ser no una descripción del *local*, sino una descripción del *escenario*, como una acotación escénica escapada del texto y amplificada ante la vista del receptor-lector.

Dentro de ese orden similar espacio-temporal, la *actuación* del auditorio va fragmentando y separando las unidades. La ausencia de una parte de él divide en dos la jornada. Pero su reacción expresa divide en tres los elementos de la misma, que corresponden a *tres actuaciones*, que en los tres casos se premian con *aplausos* o *expresión de agrado*. Tres actuaciones que comienzan con tres *salidas* y finalizan con tres *mutis*: los narradores *suben* a un estrado y *abandonan* el estrado; los músicos y cantantes *salen* y *suben* al escenario, como anuncio de la representación. Los recitantes, igualmente, *salen* y *suben* al estrado. Recitantes y actores llevan vestuario especial (de ahí su *salida*). Al narrador le basta con ocupar un lugar elevado.

Salidas y *aplausos* dividen, pues, en tres las unidades de cada jornada, lo que confiere al Certamen un nivel igualatorio con las otras dos, pese a la inexistencia de pausa temporal (en forma de narración sintética) que separa a la novela del *auto*, marcada incluso tipográficamente. Y a pesar, también, de la aparente subordinación al *auto*, que fue, probablemente, la intención inicial: poe-

DOMINGO	LUNES	MARTES
indicación de la hora, como comienzo del día: misa temprana + preparativos	*indicación de la hora, como comienzo del día:* amaneció con niebla	*indicación de la hora, como comienzo del día:* amaneció lloviendo
indicación de la hora, como comienzo de la fiesta: nueve y media [don Luis narra su historia en hora y media; termina a las once]		
descripción del lugar: el atrio de una quinta del Manzanares, dispuesto para la narración	*descripción del lugar:* el salón de la Huerta de Juan Fernández (novela) + patio interior (Auto y Certamen)	*descripción del lugar:* el salón de la Huerta del Duque (novela) + patio (Auto y Certamen)
indicación del auditorio música	*indicación del auditorio* música	*indicación del auditorio* música
don Luis narra «La Patrona de las Musas»	don Francisco narra «Los triunfos de la verdad»	don Melchor narra «El bandolero»
	a) interrupción → coloquio dramático	
	b) prosigue la narración	
	c) interrupción → coloquio dramático	
	d) finaliza la narración	
aplausos	aplausos	aplausos
despedida; se quedan los invitados	despedida; se quedan los invitados	despedida; se quedan los invitados
comida + preparación de la tramoya [al tiempo]	comida	comida
indicación de la hora: las dos	*indicación de la hora:* al mediodía (ha salido el sol)	

tres (comienzo de la fiesta)
salida de músicos; canción
loa
canción
representación de «El colmene-
ro divino»
agrado del auditorio

sale don Luis, con otro recitante
vestido de labrador: Paracuellos
del Jarama
discurso de don Luis, como introducción al Certamen

lectura alternada de los poemas
(acompañados de notas referi-
das al Certamen, en boca del
narrador = autor)
[música entre cada Certamen]
indicación de la hora: anochece

final del Certamen

música
aplausos
cita para el día siguiente, con
indicación del lugar
despedida y separación
todos duermen
amanece el lunes

(comienzo de la fiesta)
salida de músicos; canción
loa
canción
representación de «Los hermanos parecidos»
agrado del auditorio

sale don Francisco, con otro
compañero similar a él

discurso de don Francisco, como
introducción al Certamen: queda
indicación de la hora:
un tiempo muy corto
lectura alternada de los poemas
(acompañados de notas referi-
das al Certamen, en boca del
narrador = autor)

final del Certamen

música
aplausos
cita para el día siguiente, con
indicación del lugar
despedida y separación
amanece el martes

salida de músicos; canción
loa
canción
representación de «No le arrien-
do la ganancia»
agrado del auditorio
música
sale don Melchor, con su primo
don Fernando → Gil Berugo de
Tejares
discurso de don Melchor, como
introducción al Certamen

lectura alternada de los poemas
(acompañados de notas referi-
das al Certamen, en boca del
narrador = autor)

final del Certamen + indicación
de la hora: se ha puesto el sol
música

despedida; deciden poner por
escrito todo lo relatado y representado

mas apoyando el *auto*, como el entremés apoya o co
pleta el espectáculo teatral en la comedia. Ahora bi
esa disposición en *tres* unidades y no en dos (narracio
representación), marcada por el auditorio y por la actu
ción de los personajes del marco, creo que se refuer
por la disposición temporal de cada jornada.

Aparentemente, ésta se bifurca en dos tiempos, cla
mente diferenciados: mañana-tarde. Y, sin embargo, T
so en el domingo ha roto la analogía, al incluir la decl
ración expresa del tiempo que dura la narración: hora
media, no toda la mañana como la longitud de la nove
pudiera hacer suponer:

> Ciñó don Luis en el breve círculo de hora y me
> todo lo sustancioso desta dilatada narración, q
> después, para dar cuerpo a este libro, y hacer n
> capaces de maravillas tantas a sus lectores, aumer
> la pluma...

Y se nos dice que el tiempo transcurrido desde la
once, en que se despeja la quinta con la ausencia d
auditorio, hasta casi las tres se invierte en comer y ap
rejar el escenario. Tenemos, por tanto, un tiempo d
narración relativamente corto, que ya no es necesari
volver a indicar en el lunes y el martes, ya que se apunt
expresamente en la narración de don Francisco que l
que el lector recibe constituye una *síntesis abreviada*:

> ... la prodigiosa narración, que entonces ciñó a brev
> discursos la cortedad del tiempo, y agora para
> mayor alabanza dilató la pluma.

Y al final de la obra se reitera el propósito inicial: e
cribir por extenso cada uno su respectiva novela, ante
de darlas a la imprenta. El lector, por tanto, se present
ante dos medidas temporales distintas: la del libro in
preso que *iguala* mañana y tarde y la indicada por e
narrador-autor de cómo se repartió ese tiempo en l
fiesta cortesana que describe. Y que *iguala las tres* un
dades: novela, *auto* y Certamen. Porque a la hora y me
dia aproximada de una narración se oponen las tres ho
ras aproximadas de la representación, que comienza

as tres (domingo) o a las dos (lunes) y termina cuando alta la luz. Y no olvidemos que el auto nos sitúa en un scenario al aire libre, en Madrid y en febrero (que pro- uce esas nieblas y lloviznas que amenazan, sin lograrlo, eslucir la fiesta).[15] El dualismo narración-representación uelve a encajarse en una estructura ternaria. Creo que os valores significativos de cada unidad actúan en coor- inación, no en subordinación. Por tanto, para alcanzar u significado en el conjunto habrá de partirse de esa osición que alcanzan en la estructura general. No creo ue *autos* y Certámenes *acompañen* a las novelas.[16] Son, n un mismo plano, elementos igualmente significativos el sistema.

VI, 2, 2.   Novelas, *autos* y Certámenes poéticos son, ues, las variedades que se agrupan dentro del sistema na- rativo de la obra. Pero, para alcanzar un funcionamiento onjunto, el autor debe procurar integrarlas dentro de quél mediante diversos procedimientos técnicos. Natu- almente, esos procedimientos son, por lo general, los ya pificados del sistema de narración yuxtapositiva, carac- erística de la novela cortesana, y vienen determinados or los tres elementos estructurales básicos del marco arrativo: tiempo, espacio y personajes.

Ante todo, son tres historias enmarcadas por un pre- nte narrativo sujeto a un mismo tiempo crónico. En ese empo crónico hay un mínimo avance temporal (amane- r del domingo hasta anochecer del martes) que permite inserción de un tiempo fluyente de narración. Ahora ien, cada novela es un *retroceso temporal* a otro (y dis- nto en cada caso) tiempo crónico, que, mediante ese elato, se actualiza en la voz del narrador. Y como toda arración que se cuenta *desde* un presente expreso en

15. La obra se termina el 26 de febrero de 1632, en Toledo. De nuevo irso, como es habitual en él, sitúa la acción de su obra en el tiempo e su redacción. (Aunque supongo para *El Bandolero* una fecha ante- or, cercana a los *Cigarrales*.)

16. Es la opinión sustentada por Nougué, que no admite el marco itivo del *Deleitar* (p. 594), si bien en páginas anteriores nos ha dado sugerente hipótesis de la disposición de las novelas agrupadas como tríptico, en donde la tabla central está representada por aquella en e interviene san Pedro Apóstol (p. 208).

el contexto, el *pasado* de lo relatado puede fundirse a
presente del acto de relatar. El presente del narrador
personaje es aquí presente del narrador-autor (inclus
en la época del año elegida: febrero, mes en que te
mina el *Deleitar*), y ambos fundidos pueden *juzgar* de
de ese presente coetáneo el contenido del relato, a l
manera del historiador, no del testigo. Esa mirada d
coetaneidad engloba al narrador-autor, al narrador-pe
sonaje y al receptor-personaje o auditorio expreso. In
mersos los tres en un idéntico presente, hacia ello
avanza la acción de la novela desde el pasado, y re
trocede el receptor-lector desde sucesivos futuros. E
tiempo presente del acto de relatar une así dos momen
tos temporales: el *cerrado* de unos episodios concluido
y el *abierto* de una comunicación ininterrumpida. Y, de
de luego, unifica los tres momentos crónicos de las tre
novelas, redactadas, probablemente, en fechas distintas
pero en idéntico funcionamiento de trasposición tempe
ral mediante su inserción en el sistema. Inserción en u
presente narrativo que permite al autor juzgarlas com
ejemplificadoras, en dirección a sus dos *auditorios*: e
sincrónico al acto de relatar (el auditorio expreso qu
recibe la versión abreviada) y el diacrónico, o futur
lector (que recibe la versión amplificada).

Análoga trasposición temporal es la efectuada co
unos Certámenes de 1622, 1616 [17] y 1629, respectivamente

17. Como la crítica comúnmente ha observado, Tirso, que fija la fech
del Certamen en 1615, aún no estaba entonces en Santo Domingo, por l
que también generalmente se admite que no pudo concurrir a la Justa
pese a lo que afirma por boca de don Francisco. Nougué apunta tre
soluciones: que se refiere a *otro* certamen; que los poemas se escribi
ron en 1631, para ser incluidos en *Deleitar*, y Tirso los encuadra en un
Justa auténtica, o que dicha Justa se *retrasó*, opinión, esta últim
sumamente verosímil. Porque la fecha que da Tirso no se refiere a l
Justa en sí, sino a la proclamación de la imagen milagrosa como P
trona de las islas de Barlovento, y creo que se sobreentiende que
día de su «Natividad alegre», esto es, el 8 de septiembre. ¿No pued
situarse la realización (si no la proclamación) de la Justa meses de
pués? Tirso sale de España a comienzos de 1616 (la Real Cédula que a
toriza el viaje es de 23 de enero), y son de dos a cuatro meses de n
vegación. No parece lógica una distancia de al menos siete meses ent
la decisión de celebrar la Justa y su realización, pero tampoco es inv
rosímil. Lo normal era de uno a dos meses desde la proclamación d

alizando las canonizaciones respectivas de san Igna-
y san Francisco Javier, la de san Pedro Nolasco y san
ón Nonato, o la proclamación de una imagen mila-
a como Patrona de las islas de Barlovento. Esa pro-
ación coincide en cada caso con un tiempo de re-
ión, pero remite, naturalmente, a otros tantos tiem-
crónicos, que avanzan, como los relatos, hasta el
ente del auditorio expreso: los siglos XIII y XVI, y
años anteriores al nacimiento de Cristo en la Nativi-
de María:

> Vidas de Ignacio de Loyola y Francisco Javier (si-
> glo XVI) → canonización + redacción de los poemas
> (1622) → actualización por su convencional recitado
> (1632) → impresión (1635) y sucesiva transmisión, en
> esquema repetible en cada Certamen, con variación
> de las fechas.

se presente actualizador, que deriva del sistema na-
ivo del relato con auditorio expreso, alcanza la intem-
alidad en la alegoría del *auto*, que, curiosamente, no
izan entonces los personajes-narradores de las otras
ades. La fusión de dos tiempos, pasados y presente,
e esa fusión del *tema* con el *auditorio*, y, en conse-
ncia, ese auditorio *individualizado* actúa de vehículo
transmisión. Pero un contenido alegórico es un pre-
e continuo, que no precisa de fusión de tiempos cró-
s. Y si bien se nos dice que los *autos* son represen-
s por los «familiares» de los anfitriones (auditorio,
tanto), todo nexo entre ellos (en cuanto que actúan)
resto del auditorio desaparece en el enunciado, en el
se inserta el *auto*, una vez terminadas canciones y
como unidad independiente, sin indicar el movimien-

---

el hasta la Justa en sí (cfr. J. de Entrambasaguas, *Lope de Vega*
s *Justas poéticas toledanas de 1605 y 1608*, «Revista de Literatura»,
XII, Madrid, pp. 5-104, y XXXIII, pp. 5-52, y *Las Justas poéti-*
en *honor de san Isidro en relación con Lope de Vega*, «Anales del
tuto de Estudios Madrileños», IV, Madrid, 1969). Recuérdese que
ién media una distancia de meses entre la declaración de santidad
an Pedro y san Ramón (30 de septiembre de 1628) y la *Justa* de
nanca, en 1629.

to teatral, *tal como lo veía* ese auditorio expreso.
auto no se *narra*: simplemente se inserta. Es decir,
hay un acercamiento *actor → espectador* expreso e
enunciado, como lo hay en la relación narración → o
te e, incluso, recitante → oyente. Pero, al estar inm
en un contexto narrativo, el espectador (ausente e
obra teatral) puede expresar su juicio ante lo vist
oído. Es decir, el espectador teatral (ausente como
espectador en el contexto) recobra su función de pe
naje presente en la narración y expresa la efectivida
proceso comunicativo, como tal proceso *cumplido*. Al
sor (autor) y al enlace (actor) se une, gracias al siste
narrativo, un receptor (espectador), que, a su vez, co
nica la conclusión afirmativa y encomiástica de que
recibido y gustado del mensaje. ¿Fue siempre tan ab
luta, tan armónica, esa relación comunicativa que la
vela cortesana nos transmite? ¿O el autor ha sublim
a una sociedad? Esa es la sugerente pregunta que F
niakoska se hace.[18]

Pero esa sublimación, probablemente nostálgica, en
ña un significado, porque también ese auditorio id
puede ser un modelo imitativo. O la armonía existe
entre *espacio* y auditorio, elevarse a categoría de sím
de un ideal de vida, en el que, por ello, no pueda se
larse el contraste.

Los tres espacios o lugares de reunión son distin
en su situación concreta, históricamente documenta
La anónima quinta del Manzanares y las famosas fin
cortesanas del duque de Lerma y del regidor Juan F
nández responden, en *Deleitar*, al mismo ideal de a
bientación cortesana. Si acaso con una nota de contra
pero que viene de más allá del texto: en las cita
Huertas ha situado Tirso, años antes, los enredos a
rosos de sus damitas teatrales. Los mismos recintos
han escuchado ternezas y picardías van ahora (creo

18. Ob. cit., p. 123: «... les lecteurs des miscellanées n'avaient-ils
la nostalgie de ces rares et somptueuses *representaciones secretas*
tout était parfait: Le décor, la diction, le jeu des acteurs, l'éclairage
machines, la musique, et aussi... le public? Sinon, porquoi tant ins
sur une harmonie totale entre le lieu théâtral, le texte, les comédien
l'auditoire?»

...ncionadamente) a ser testigos de una lección moral.
...que a ellos se suman (en paralelismo a la integración
...poral) otros espacios remotos: los escenarios de sus
...elas «a lo santo», que fueron testigos de actos de he-
...mo religioso. Grecia, Roma, el Asia Menor o la abrup-
...montaña catalana *cubren* el decorado manierista y *ro-*
...ó levantado por los personajes. Y lo cubren, narrati-
...ente, mediante descripciones orales, que parecen
...plir la función de una ideal tramoya encuadradora
...una acción. El decorado del salón o el patio engala-
...o sirven ahora de marco a otro decorado, que es el del
...nario auténtico, donde telones y arquitecturas tea-
...es se sustituyen por el poder evocador de la palabra.
...que Tirso *sitúa* cada narración en un marco ambien-
...Pero que, curiosamente, coincide a veces con el am-
...te del espacio del marco narrativo. La similitud, por
...nplo, del jardín romano de Matidia con el que rodea
...uditorio en la quinta del Manzanares es notable. Y a
...demás, se superpone el escenario *real* para un lector
...táneo, como Tirso no deja de señalar: «no necesita
...uadra [la de Juan Fernández], para quien la ha visto,
...se la pinte...». Creo que esa similitud (como antes
...onjunta coetaneidad del presente narrativo) cumple
...función ejemplificadora: es *posible* encuadrar actos
...heroísmo religioso en una ambientación cortesana.
..., así, *escenarios* descriptivos levantados en los tabla-
...desde los cuales narran los tres caballeros, que se
...ean de otro *escenario*, el del marco narrativo, descrito
...el autor.

...os escenarios que el auditorio recibe *conjuntamente*
...avés de dos canales de comunicación, el oral y el vi-
..., pero que el receptor no expreso, es decir, el lector,
...be también conjuntamente y por un único cauce de
...smisión: una narración en que se nos describen di-
...os encuadres ambientales, como los distintos deco-
...os de una obra teatral que armonizasen, a la vez, con
...ema de cada escena y con el decorado del teatro en
...Don Luis, don Francisco, don Melchor, sus esposas,
...tres compañeros recitantes, músicos, cantantes y ac-
...s están en *su* escenario. Pero dentro de él se abren,
...arroca tramoya de planos sucesivos, los de Matidia,

Clemente, Tecla, Alejandro, Pedro, Saurina o Laurisan
Pero para que esa integración espaciotemporal s
completa habrá de recurrirse a un sistema de unión m
visualizado o más reforzado en el discurso. El *clima*
sensación unitiva se hará más palpable cuanto men
sea la distancia anímica entre el personaje y sus act
y el auditorio que los recibe. Es decir, entre el referer
de lo enunciado y el receptor del mensaje. Y esa d
tancia puede cubrirla el emisor mediante el *modo*
enunciado. Tirso la cubre, concretamente, en el *Delei*
mediante dos procedimientos: la interferencia expre
del auditorio en el relato, como *receptor* del mensaje
como *modificador* del mismo; o la sustitución del d
curso por procedimientos visuales (teatrales) de comu
cación. En ambos procedimientos (apartándose de l
procedimientos tipificados o comunes a todo sistema
milar) creo que alcanza su mayor originalidad. Son, d
de luego, los nexos formales más expresivos, median
los cuales las unidades narrativas se insertan en
marco.

Las tres novelas están escritas en tercera persona. Pe
el yo del narrador va salpicando un relato que discur
generalmente en tercera persona, a modo de discur
Ahora bien, lo usual en *La Patrona de las Musas* es
dirigirse el narrador = autor a un receptor que lo misn
puede ser el auditorio expreso *(vosotros)*, que unos l
tores indeterminados. Así, el narrador impersonal pue
pasar a narrar desde su perspectiva, desde su individe
lidad: «uno que a *mi* parecer pintó mejor sus prop
dades, *permitiéndome* esta digresión...» (p. 49); «*diré*
nuestro idioma lo que san Pablo en el suyo...» (p. 70);
Teoclea, *digo*...» (p. 72); «volviendo, pues, a la anim
enamorada, *digo* que...» (p. 129); «*digo* que lo mucho q
ennobleció...» (p. 145); «no puede *negarme* ningún ex
rimentado...» (p. 74). Son casos no demasiado frecu
tes, en que el narrador se introduce en el enunciac
Y puede, en mayor conexión con un receptor, introdu
a éste en su mismo plano, pasando a emplear un co
prensivo y plural *nosotros*: «Esto es lo que *nos* ense
san Pablo...» (p. 72), o «Dios *nos* libre de tan perjudicia
accidentes» (p. 101). Muy diferente del plural enfát

$o \rightarrow nosotros$) de expresiones como «*nuestra* narración» «*nuestro* discurso».

Ahora bien, todos los casos señalados, característicos un relato oral dirigido a un auditorio, son similares los de un relato escrito dirigido a un lector (con lo que se rompería su función unitiva de las unidades con marco). El receptor expreso dentro del contexto narrativo no aparece sino en un ejemplo, en que el narrador se dirige a un receptor plural, pero con la utilización un *vosotros* que se insinúa como presente en el acto la narración: «Pero antes que *nos engolfemos* en criminales quejas de la madre será fuerza *despenaros* l deseo con que *os considero* de saberlas...» (p. 68). Sigue siendo enormemente débil la presencia de un auditorio, pero, en cambio, ya casi al final se refuerza mediante una alusión al contorno espaciotemporal del marco narrativo: «las maravillas... *pintaré*, no todas las que el ntífice Coronista, su devoto, refiere, sino *las que el empo nos permita* y la novedad escoja...» (p. 139), para adir poco después: «Este milagro, que será el último nuestro *discurso*...» (p. 147).

En *El Bandolero* la técnica es similar, pero los ejemplos de un receptor plural son mucho más numerosos: *vuestra* consideración discreta remito» (p. 505); «para teligencia de sucesos tan peregrinos, importa *daros* aquí guna noticia...» (p. 295); «y es el mismo que *os* advertí berle corrompido...» (p. 547); «quedaron (ya se *os* acordará)...» (p. 549), en donde el narrador va *guiando* al autorio mediante frecuentes llamadas de atención sobre isodios anteriores, o explicando su técnica expositiva transmisión: «Atrevido mi devoción con estos versos, s imagino en los enamorados labios del favorecido Peo, *presentándooslos* en nombre suyo...» (p. 636). El *yo* l narrador y el *vosotros* del receptor resuenan con frecuencia. E incluso, menos equívocamente que en *La Paona de las Musas*, se alude a una comunicación oral: Retirándose (dicho esto) los dos a una pieza oculta, en e consultando insultos, venció el que *oiréis* cuando gue su coyuntura...» (p. 549). Sin embargo, en este no conversacional, en continua relación *yo-vosotros*, no y percepción *directa* del auditorio. Salvo el *oiréis* de

El Bandolero y la alusión al escaso tiempo que resta e
La Patrona de las Musas, el relato se evade de su marc
narrativo, y no hay grandes diferencias específicas entr
un discurso dirigido por un narrador-autor a una com
nidad *lectora* y el relato actualizado por un narrado
personaje dirigido a un auditorio expreso. Pero *Los triur
fos de la verdad* alcanza la total integración.

Cuando escribe su novela, Tirso no olvida jamás qu
se trata de un relato puesto en boca de un personaj
que se dirige a otros personajes, todos dentro de u
común espacio y tiempo. Hay, desde luego, una fusió
entre el «estudioso» don Francisco y Tirso, mucho mayo
que la expresada con los otros dos caballeros. Pero el *y*
continuo es, dentro del contexto, el *yo* del narrador-pe:
sonaje, como el *vosotros* se identifica con el auditori
expreso.

Por lo pronto, son incesantes las formas verbales e
primera persona: «como dije», «no me maravillo»... Per
esa estereotipada fórmula puede pasar a ser vehículo d
una opinión personal, en que el narrador transmite a s
auditorio *una vivencia propia,* dimanada de su experie
cia vital, fuera, por tanto, del contexto narrativo, per
en apoyo de la reacción psicológica de su personaje
«... porque yo, cuando dejo voluntariamente una cosa d
estima, la alabanza que consigo de haberla menospreci;
do me disminuye su falta; pero el que la tuvo y la perdi
violentado...» (p. 246). De tal manera que la transmisió
de un estado anímico ajeno y remoto cobra una fuerz
expresiva extraordinaria mediante el acercamiento que €
emisor hace de ella, actualizándola en sí mismo.

La forma personal, así empleada, puede *provocar* an;
loga fusión anímica en el auditorio, cuya reacción psic;
lógica tiene presente en todo momento el narrador-pe:
sonaje, que *acomoda* su discurso a lo pertinente o no d
esa reacción esperada: «Desazonaros, ínclito concurso
con la representación llorosa de sus quejas sería entri:
tecer lo festivo que intentamos...» (p. 241). Es decir, qu
el *modo* de la narración se subordina al auditorio de
marco narrativo y a la misma motivación de éste: el de
leite, como condición previa al aprovechamiento. De t;
manera que el discurso se subordinará también al marc

emporal en que se encuadra. Así, aludiendo a las discusiones o digresiones teológicas de la fuente utilizada (a
a cual remite al doble receptor, oyente o lector), aduce,
omo motivo de su eliminación: «que no refiero porque
a brevedad del día no las permite» (p. 348).

El autor tiene clara conciencia de ese doble receptor
(expreso y no expreso), pero tampoco olvida que audito-
io y lectores forman parte de una misma estructura
ocial, y cuando *modifica* el discurso (alterando o supri-
niendo sobre la fuente seguida), esa modificación se rea-
za *desde* la recepción del auditorio. Porque ese audito-
o, que recibe el mensaje oral y abreviado a través de
on Francisco, es el mismo que lo recibe a través de
abriel Téllez, convencionalmente amplificado para ser
npreso. Y el narrador-personaje tiene conciencia de que
n determinado receptor (con una determinada cultura,
leales y condición social) debe *modificar* el modo de la
nunciación para que se establezca el contacto compren-
vo, y hasta afectivo, deseado. Por ello el narrador-autor,
n sus incisos dentro del discurso del narrador-persona-
, lo afirma taxativamente: «Generalmente se aplaudió
Diálogo: que dado caso que en la materia pareció difí-
l, para damas y seglares, no para estudiosos, la claridad
n que don Francisco *acomodó el estilo al auditorio*
cilitó sus obscuridades...» (p. 348).

Para ello *suavizará* el relato cuando lo crea convenien-
: «Prosiguió Aquila con su narración del modo que se
gue, si bien para suavizar lo áspero de vida tan horren-
a me pareció relataros en verso lo que él en prosa dijo»
. 263). Es más: la conjetura del estado anímico de ese
uditorio expreso (a quien constantemente se dirige) pue-
forzarle a la modificación. Aun siendo las disputas
ológicas parte central de la fuente histórica, don Fran-
sco tiene ante sus ojos un grupo de cortesanos (como
nbolo de la sociedad a que se dirige Gabriel Téllez).
e ahí que abrevie las disputas hasta «recoger» el hilo
gumental: lo dorado de la píldora estaba a punto de
er. Hay que retroceder hacia el deleite, porque la aten-
ón del auditorio se le va de las manos. «Háceseme de
al pasar tan de corrida... pero apresúranme los deseos,
e *en los oyentes conjeturo*, de ver el fin de las hasta

aquí tragedias de Matidia, de su esposo y de sus hijas...»
(p. 294). Pero incluso por esa *acomodación* al auditorio
puede éste llegar a integrarse en el enunciado. No me
diante interrupciones orales (que no se efectúan), pero
sí mediante el *gesto*, signo de comunicación que recoge
el emisor, que a su vez *responde* a ese mensaje kinésico
(auditorio → narrador) subordinando a él el enunciado:
«Escusado será el ponderaros la asustada indignación
que en el casto pecho de la matrona ínclita engendró re
solución tan bárbara: pues con estar las que me escuchan
tan lejos de sus peligros, *miro en sus semblantes aso
marse el aborrecimiento...*» (p. 220). Las frívolas damita
cortesanas del XVII se sienten solidarias de la heroína re
ligiosa del pasado. *Doña Marta, la piadosa*, que logró e
amor de don Felipe en los salones de la Huerta del Du
que; doña Juana, que, transformada en *don Gil de la
Calzas Verdes*, danzó en sus jardines; doña Laura, qu
escuchó los requiebros de su amante entre las flores d
la huerta de Juan Fernández..., se sientan ahora entre u
ideal auditorio que se *funde* con unos personajes ejem
plificadores. El mensaje es recibido, captado y devuelto
Por eso Tirso tiene que indicarlo expresamente y hac
responder kinésicamente al auditorio, que pasa de recep
tor *pasivo* (como en tantas novelas cortesanas) a recep
tor *activo* y, como tal, condicionante del enunciado.

Pero la *acomodación del estilo al auditorio* puede aú
ser mayor. Porque en una sociedad «teatralizada» [19]
comunicativo alcanza su máxima eficacia en un *espe
táculo* que armonice texto e imagen. El *escenario* ya
tiene el narrador: el mismo del entorno locativo. Y su
tituyendo lo narrativo por lo representativo, los perso
najes (Simón Mago y san Pedro o Fausto, Clemente, Aqu
la y Nicetas) salen de ese escenario evocado por la pal
bra de don Francisco para actuar en el escenario evocad
por el narrador-autor. El auditorio *ve* a los personaje
de la narración, y cuando éstos asumen su papel de em
sores, don Francisco (emisor-narrador) baja del tablad
escénico y se integra en el auditorio. Los *oyentes* de

19. Cfr. E. Orozco, *El teatro y la teatralidad del barroco*, Barcelon
Ensayos/Planeta, 1969.

narración pasan a ser *espectadores* y *actores*. Porque no
olvidemos que esos *recitantes* que interpretan los dos
Diálogos dramáticos insertos en lo narrativo han sido
también *oyentes*, y, acabada su actuación, asumirán de
nuevo su papel receptivo. Mediante ellos el auditorio *entra* en la narración y ésta se funde con el contorno espaciotemporal. El poder evocador de la palabra ha transformado en un presente *visualizado* (en suprema cercanía
de espacio y tiempo) un pasado ejemplar y un espacio
remoto: «Y así salgan agora los prevenidos para esta
acción estudiosa y recreable», manda el narrador, cedién-
doles su puesto. La unidad narrativa se ha integrado, a
todos los niveles, en su encuadre general.

VI, 2, 3.   A lo largo del tipificado sistema yuxtapositivo
de la novela cortesana, el autor, creando nexos unitivos
(intencionalidad + composición), ha ido dando la visión
de un *espectáculo total*, en donde palabra, imagen, música, danza y auditorio se integran en un conjunto. Narradores, actores y espectadores se unifican en su doble
función de emisores y receptores, como símbolos sociales
que actúan en representación de los dos extremos del
mensaje comunicativo de la obra: autor → lector.
  Es un sistema rígidamente estructurado, dentro de la
característica lógica de las *arquitecturas* literarias tirsia-
nas. No creo, a la vista del análisis formal realizado, que
sea aventurado suponer que Gabriel Téllez intentó en ese
sistema un desarrollo de *causas concertadas*, en donde
cada elemento que lo integra esté en función *causal* del
mensaje que armoniza las unidades. Esa *visión total*,
aplicada a la intencionalidad de la obra, tiene que cobrar
un significado específico.
  Porque en la obra se integran, evidentemente (lo he
intentado demostrar en los apartados anteriores), unas
unidades, como elementos yuxtapositivos del sistema,
que, *en sí*, son portadoras de un significado previo. Pero
que engarzadas en el sistema, en contacto, por tanto, con
el significado propio de las demás, alcanzarán una nueva
connotación específica.
  Una *vida de santos*, como un *auto sacramental* o un
certamen poético, de temática religiosa, son cada uno

síntoma de una religiosidad barroca, que la historia nos
confirma. Pero también lo son una comedia hagiográfica
un «sermón de arrepentidas» o una página ascética. Creo
que introducir esos elementos en una ambientación cor
tesana (con lo que pudiera tener de contraste, dentro de
sistema novelesco elegido) ya es, en sí, un signo dentro
de la obra. Pero un signo que remite no a la novela cor
tesana, sino a la presentación de una estructura social e
ideológica que comienza a predicar una *aristocracia de
la virtud*, no de la sangre o del dinero (aunque todavía
en Tirso se den, generalmente, como inseparables). Los
personajes tirsistas son una élite social que *dispone,
acoge* y *proyecta* un ideal de vida. Lo dispone al presen
tarlo como espectáculo, lo acoge al fundirse con él y lo
proyecta al darlo a la estampa.

Y en ese ideal de vida las unidades no pueden ser inter
cambiables, porque ha de tratarse de un ideal organiza
do, es decir, sistematizado en unos elementos que actúen
como signo de comunicación. Si en vez de una comedia
de santos (igualmente «deleitables»), Tirso incluye un
auto sacramental (en febrero, no lo olvidemos, es decir
fuera de una norma costumbrista), debemos pensar que
esa inclusión no es sólo un síntoma barroco (como cual
quier otro género utilizable para el caso), sino que, en
contacto con la novela y Certamen, ha de tener un signi
ficado que no tendría otra narración piadosa o un dram
bíblico, por ejemplo. Y que el Certamen no puede ser
intercambiable con una fábula mitológica o un poema
épico «a lo divino».

Pensemos, ante todo, que se trata de tres manifesta
ciones de contenido histórico (narraciones y Certamen
encuadrando como un *tríptico* (según opinó Nougué con
respecto a la disposición de las novelas) a unas obras en
donde lo historial (anclado de por sí a un tiempo y un
espacio) cede en favor de lo alegórico. En un auto sacra
mental tiempo y espacio funcionan en subordinación a
una intemporalidad, porque su mensaje ha de serlo ne
cesariamente. Es una *causa* eterna que deberá *concerta*
las demás causas, anulando toda contingencia. Y, como
en un carro del Corpus, la Eucaristía preside el centro de
cada jornada (tres en la obra, *todas* en un ideal de vida

istiano), precedida del testimonio de unas *vidas* que lo
nfirmaron con el martirio y seguida de una *sociedad*
ue lo proclama.

La narración hagiográfica se nos aparece, entonces,
mo un *primer estado*, histórico-expositivo, de una visión
ligiosa del hombre. Se nos narran hechos *ajenos* y dis-
atos, como tres tipos de santidad (virgen, papa, confe-
r), unidos por un común denominador: su *aceptación*
l martirio, consumado en Clemente. Pero mediante el
stema expositivo elegido la sociedad barroca escucha
tivamente (narrador y auditorio) sus historias. Son mo-
los de *vida* que llegan del pasado en función *ejemplifi-*
dora, porque son el *efecto* derivado de la Suprema cau-
. El ansia de pureza de Tecla, de inmortalidad en Cle-
ente y de amor en Pedro son el núcleo generativo de su
ayectoria humana. Pero, tras encontrar el Supremo mo-
o, la sensible doncella, el intelectual sensitivo y el ca-
allero enamorado transforman su existencia «a lo divi-
» y se convierten en tres modelos para una sociedad
rroca: la virgen «por Cristo», el intelectual «en Cristo»
el caballero «de Cristo». Aunque para ello Tirso tenga
e inventarse un galán enamorado (Alejandro) para Te-
a, recurrir a resortes teatrales para no suprimir fatal-
nte la carga didáctico-teológica que encuadra la vida
Clemente o alterar la motivación de la conversión de
dro. Denotativamente, sus novelescas biografías son
s vidas de santos. Pero inmersas en el sistema narra-
o se cargan de connotaciones simbólicas, como expo-
ntes de tres *soluciones* contrarreformistas, de acción
litante, contra los enemigos de la fe: el *hedonismo pa-*
nizante que vence Tecla, en la vía místico-ascética; la
rejía que vencen san Pedro y Clemente, intelectual-
nte, como cabezas de la Iglesia, custodia de la fe y el
gma; y el *peligro turco*, contra el que dirige su comba-
idad de caballero el nuevo mercedario, sustituyendo
armas de «bandolero» por las de una caridad que le
eve a la redención de cautivos. Y el auditorio tirsista,
ito, proyecta, acepta y transmite el mensaje.

l final de la jornada ese auditorio actualiza algo muy
iente, muy próximo. Tan próximo que es casi presente
historia de la Iglesia ha avanzado hasta su coetanei-

dad): dos canonizaciones *oficiales* que enmarcan ot
reconocimiento, también *oficial*, como es colocar bajo
patrocinio mariano unas tierras del Nuevo mundo (es
Certamen central, correspondiente al lunes). Y la soci
dad postridentina lo celebra mediante unas Justas poé
cas. También es un elemento histórico-expositivo, pe
que nos da una visión religiosa de la sociedad, como est
do último de una evolución. Es, en cierto modo, la conf
mación, por parte de una estructura religiosa, de la ejer
plaridad de unas vidas. Pero esa estructura es, precis
mente, la consecuencia de aquellas vidas modélicas
las narraciones. La sangre de los mártires sostiene ete
namente el edificio. Y el individuo y la sociedad barroc
se *unen* a ese reconocimiento mediante unos poemas q
cumplen una función, ya no ejemplificadora, sino laud
toria. Entonces el personaje ya no puede ser *transmisc*
sino *actor*. Y del auditorio (o sociedad) emergen sus
presentantes, para subir al tablado y entonar sus cant
de alabanza.

Pero esa sociedad, individualizada en los recitantes,
que se integra en la Iglesia como valor social, lleva en
misma el dualismo barroco, porque el individuo tambi
se concibe como un ser dual. Como un diálogo con
otro yo, el caballero se desdobla en el villano, como
desdobló Lope en su licenciado Tomé de Burguillos,
en unas Justas poéticas, precisamente, originando
procedimiento sintomático del barroco. Son dos pe
pectivas que originan dos técnicas expositivas, pero q
funcionan al servicio de una misma intencionalidad. P
que ese personaje dual (caballero/villano, lirismo/bu
o idealismo renacentista/realismo barroco), como síml
lo del hombre y la sociedad barroca, se integra, en
totalidad, en ese canto de alabanza oficial, que no p
oficial dejaba de ser entrañable, como parece querer
dicarlo Tirso consignando el agrado y los aplausos de
presentes. El hombre como individuo (modelo de u
sociedad) y el hombre como colectividad (símbolo de u
sociedad) son el principio y el fin de una jornada cu
centro lo ocupa la Eucaristía (un centro desarrollado
forma teatral, porque no en vano el teatro es símbolo
la vida humana); la *causa* que concierta los hechos;

e de la *visión total*, como en las coetáneas pinturas de
ubens, en sus *Apoteosis eucarísticas*. En definitiva, la
mposición ternaria del *Deleitar* ha resultado ser una
tructura triangular en cuyo vértice se sitúa una unidad
n significativa en sí que cubre connotativamente a las
ras dos, en un mensaje lanzado más allá del texto.

planeta/universidad